CHINESE NAMES, SURN/
LOCATIONS & ADDRESSES

中国大陆地址集

SHANGHAI MUNICIPALITY - PART 6

上海直辖市

ZIYUE TANG

汤子玥

1

ACKNOWLEDGEMENT

I am deeply indebted to my friends and family members to support me throughout my life. Without their invaluable love and guidance, this work wouldn't have been possible.

Thank you

Ziyue Tang

汤子玥

PREFACE

The book introduces foreigner students to the Chinese names along with locations and addresses from the **Shanghai** Municipality of China (中国上海直辖市). The book contains 150 entries (names, addresses) explained with simplified Chinese characters, pinyin and English.

Chinese names follow the standard convention where the given name is written after the surname. For example, in 王威 (Wang Wei), Wang is the surname, and Wei is the given name. Further, the surnames are generally made of one (王) or two characters (司马). Similarly, the given names are also made of either one or two characters. For example, 司马威 (Sima Wei) is a three character Chinese name suitable for men. 司马威威 is a four character Chinese name.

Chinese addresses are comprised of different administrative units that start with the largest geographic entity (country) and continue to the smallest entity (county, building names, room number). For example, a typical address in Nanjing city (capital of Jiangsu province) would look like 江苏省南京市清华路 28 栋 520 室 (Jiāngsū shěng nánjīng shì qīnghuá lù 28 dòng 520 shì; Room 520, Building 28, Qinghua Road, Nanjing City, Jiangsu Province).

CONTENTS

CHAPTER 1: NAME, SURNAME & ADDRESSES (1-30)

751。姓名: 邹启王

住址（大学）：中国上海市徐汇区彬可大学队伦路 504 号（邮政编码：853958）。联系电话：12977159。电子邮箱：twbgh@gwtbhqfu.edu.cn

Zhù zhǐ: Zōu Qǐ Wáng Zhōng Guó Shànghǎi Shì Xúhuì Qū Bīn Kě DàxuéDuì Lún Lù 504 Hào (Yóuzhèng Biānmǎ: 853958). Liánxì Diànhuà: 12977159. Diànzǐ Yóuxiāng: twbgh@gwtbhqfu.edu.cn

Qi Wang Zou, Bin Ke University, 504 Dui Lun Road, Xuhui District, Shanghai, China. Postal Code: 853958. Phone Number: 12977159. E-mail: twbgh@gwtbhqfu.edu.cn

752。姓名: 南宫立星

住址（博物院）：中国上海市金山区王轼路 301 号上海博物馆（邮政编码：529797）。联系电话：34091223。电子邮箱：fkloc@kpyvlreo.museums.cn

Zhù zhǐ: Nángōng Lì Xīng Zhōng Guó Shànghǎi Shì Jīnshān Qū Wàng Shì Lù 301 Hào àngǎi Bó Wù Guǎn (Yóuzhèng Biānmǎ: 529797). Liánxì Diànhuà: 34091223. Diànzǐ Yóuxiāng: fkloc@kpyvlreo.museums.cn

Li Xing Nangong, Shanghai Museum, 301 Wang Shi Road, Jinshan District, Shanghai, China. Postal Code: 529797. Phone Number: 34091223. E-mail: fkloc@kpyvlreo.museums.cn

753。姓名: 双发舟

住址（火车站）：中国上海市黄浦区原食路 471 号上海站（邮政编码：217344）。联系电话：52047280。电子邮箱：wdsxt@rdsinhux.chr.cn

Zhù zhǐ: Shuāng Fā Zhōu Zhōng Guó Shànghǎi Shì Huángpǔ Qū Yuán Sì Lù 471 Hào àngǎi Zhàn（Yóuzhèng Biānmǎ：217344）. Liánxì Diànhuà：52047280. Diànzǐ Yóuxiāng：wdsxt@rdsinhux.chr.cn

Fa Zhou Shuang, Shanghai Railway Station, 471 Yuan Si Road, Huangpu District, Shanghai, China. Postal Code: 217344. Phone Number：52047280. E-mail：wdsxt@rdsinhux.chr.cn

754。姓名: 祝强不

住址（酒店）：中国上海市闵行区寰九路 557 号土学酒店（邮政编码：310981）。联系电话：89355767。电子邮箱：ycwje@vnhaeczq.biz.cn

Zhù zhǐ: Zhù Qiáng Bù Zhōng Guó Shànghǎi Shì Mǐnxíng Qū Huán Jiǔ Lù 557 Hào Tǔ Xué Jiǔ Diàn（Yóuzhèng Biānmǎ：310981）. Liánxì Diànhuà：89355767. Diànzǐ Yóuxiāng：ycwje@vnhaeczq.biz.cn

Qiang Bu Zhu, Tu Xue Hotel, 557 Huan Jiu Road, Minhang District, Shanghai, China. Postal Code: 310981. Phone Number：89355767. E-mail：ycwje@vnhaeczq.biz.cn

755。姓名: 百豪维

住址（医院）：中国上海市长宁区钦际路 274 号翰兵医院（邮政编码：511017）。联系电话：69787027。电子邮箱：krawl@amonkzcj.health.cn

Zhù zhǐ: Bǎi Háo Wéi Zhōng Guó Shànghǎi Shì Zhǎngníng Qū Qīn Jì Lù 274 Hào Hàn Bīng Yī Yuàn（Yóuzhèng Biānmǎ：511017）. Liánxì Diànhuà：69787027. Diànzǐ Yóuxiāng：krawl@amonkzcj.health.cn

Hao Wei Bai, Han Bing Hospital, 274 Qin Ji Road, Changning District, Shanghai, China. Postal Code: 511017. Phone Number：69787027. E-mail：krawl@amonkzcj.health.cn

756。姓名: 秋土珏

住址（大学）：中国上海市松江区克强大学际钢路 909 号（邮政编码：750369）。联系电话：82536207。电子邮箱：brful@czrxvibe.edu.cn

Zhù zhǐ: Qiū Tǔ Jué Zhōng Guó Shànghǎi Shì Sōngjiāng Qū Kè Qiáng DàxuéJì Gāng Lù 909 Hào（Yóuzhèng Biānmǎ：750369). Liánxì Diànhuà：82536207. Diànzǐ Yóuxiāng：brful@czrxvibe.edu.cn

Tu Jue Qiu, Ke Qiang University, 909 Ji Gang Road, Songjiang District, Shanghai, China. Postal Code: 750369. Phone Number：82536207. E-mail：brful@czrxvibe.edu.cn

757。姓名: 公民尚

住址（湖泊）：中国上海市杨浦区可成路 146 号钦俊湖（邮政编码：847950）。联系电话：33204526。电子邮箱：khayt@tduqkyli.lakes.cn

Zhù zhǐ: Gōng Mín Shàng Zhōng Guó Shànghǎi Shì Yángpǔ Qū Kě Chéng Lù 146 Hào Qīn Jùn Hú（Yóuzhèng Biānmǎ：847950). Liánxì Diànhuà：33204526. Diànzǐ Yóuxiāng：khayt@tduqkyli.lakes.cn

Min Shang Gong, Qin Jun Lake, 146 Ke Cheng Road, Yangpu District, Shanghai, China. Postal Code: 847950. Phone Number：33204526. E-mail：khayt@tduqkyli.lakes.cn

758。姓名: 石土冠

住址（火车站）：中国上海市黄浦区国游路 648 号上海站（邮政编码：304196）。联系电话：44110581。电子邮箱：lrxoq@rhgmtuyq.chr.cn

Zhù zhǐ: Shí Tǔ Guàn Zhōng Guó Shànghǎi Shì Huángpǔ Qū Guó Yóu Lù 648 Hào àngǎi Zhàn（Yóuzhèng Biānmǎ：304196). Liánxì Diànhuà：44110581. Diànzǐ Yóuxiāng：lrxoq@rhgmtuyq.chr.cn

Tu Guan Shi, Shanghai Railway Station, 648 Guo You Road, Huangpu District, Shanghai, China. Postal Code: 304196. Phone Number：44110581. E-mail：lrxoq@rhgmtuyq.chr.cn

759。姓名: 仇恩易

住址（广场）：中国上海市闵行区全歧路 121 号红斌广场（邮政编码：569266）。联系电话：65137141。电子邮箱：tomcd@npgelwyt.squares.cn

Zhù zhǐ: Qiú Ēn Yì Zhōng Guó Shànghǎi Shì Mǐnxíng Qū Quán Qí Lù 121 Hào Hóng Bīn Guǎng Chǎng（Yóuzhèng Biānmǎ：569266）. Liánxì Diànhuà：65137141. Diànzǐ Yóuxiāng：tomcd@npgelwyt.squares.cn

En Yi Qiu, Hong Bin Square, 121 Quan Qi Road, Minhang District, Shanghai, China. Postal Code: 569266. Phone Number：65137141. E-mail：tomcd@npgelwyt.squares.cn

760。姓名: 阚国茂

住址（机场）：中国上海市杨浦区洵宽路 184 号上海钊易国际机场（邮政编码：607724）。联系电话：83036467。电子邮箱：onhvl@hqzckryn.airports.cn

Zhù zhǐ: Kàn Guó Mào Zhōng Guó Shànghǎi Shì Yángpǔ Qū Xún Kuān Lù 184 Hào àngǎi Zhāo Yì Guó Jì Jī Chǎng（Yóuzhèng Biānmǎ：607724）. Liánxì Diànhuà：83036467. Diànzǐ Yóuxiāng：onhvl@hqzckryn.airports.cn

Guo Mao Kan, Shanghai Zhao Yi International Airport, 184 Xun Kuan Road, Yangpu District, Shanghai, China. Postal Code: 607724. Phone Number：83036467. E-mail：onhvl@hqzckryn.airports.cn

761。姓名: 钭乙红

住址（酒店）：中国上海市虹口区人洵路 778 号尚兆酒店（邮政编码：151874）。联系电话：56605808。电子邮箱：zvgea@kyadxzwm.biz.cn

Zhù zhǐ: Tǒu Yǐ Hóng Zhōng Guó Shànghǎi Shì Hóngkǒu Qū Rén Xún Lù 778 Hào Shàng Zhào Jiǔ Diàn（Yóuzhèng Biānmǎ：151874）. Liánxì Diànhuà：56605808. Diànzǐ Yóuxiāng：zvgea@kyadxzwm.biz.cn

Yi Hong Tou, Shang Zhao Hotel, 778 Ren Xun Road, Hongkou District, Shanghai, China. Postal Code: 151874. Phone Number：56605808. E-mail：zvgea@kyadxzwm.biz.cn

762。姓名: 许智世

住址（公司）：中国上海市嘉定区人盛路 569 号桥臻有限公司（邮政编码：802787）。联系电话：79808768。电子邮箱：guxpm@qkwpxyrj.biz.cn

Zhù zhǐ: Xǔ Zhì Shì Zhōng Guó Shànghǎi Shì Jiādìng Qū Rén Shèng Lù 569 Hào Qiáo Zhēn Yǒuxiàn Gōngsī (Yóuzhèng Biānmǎ：802787). Liánxì Diànhuà：79808768. Diànzǐ Yóuxiāng：guxpm@qkwpxyrj.biz.cn

Zhi Shi Xu, Qiao Zhen Corporation, 569 Ren Sheng Road, Jiading District, Shanghai, China. Postal Code: 802787. Phone Number：79808768. E-mail：guxpm@qkwpxyrj.biz.cn

763。姓名: 连可盛

住址（湖泊）：中国上海市静安区维磊路 402 号昌人湖（邮政编码：131192）。联系电话：54487511。电子邮箱：nxzic@eqiocmjb.lakes.cn

Zhù zhǐ: Lián Kě Shèng Zhōng Guó Shànghǎi Shì Jìngān Qū Wéi Lěi Lù 402 Hào Chāng Rén Hú (Yóuzhèng Biānmǎ：131192). Liánxì Diànhuà：54487511. Diànzǐ Yóuxiāng：nxzic@eqiocmjb.lakes.cn

Ke Sheng Lian, Chang Ren Lake, 402 Wei Lei Road, Jingan District, Shanghai, China. Postal Code: 131192. Phone Number：54487511. E-mail：nxzic@eqiocmjb.lakes.cn

764。姓名: 荣寰葆

住址（公园）：中国上海市虹口区茂寰路 885 号人阳公园（邮政编码：897958）。联系电话：22671187。电子邮箱：tgjzm@zigptxec.parks.cn

Zhù zhǐ: Róng Huán Bǎo Zhōng Guó Shànghǎi Shì Hóngkǒu Qū Mào Huán Lù 885 Hào Rén Yáng Gōng Yuán（Yóuzhèng Biānmǎ：897958）. Liánxì Diànhuà：22671187. Diànzǐ Yóuxiāng：tgjzm@zigptxec.parks.cn

Huan Bao Rong, Ren Yang Park, 885 Mao Huan Road, Hongkou District, Shanghai, China. Postal Code: 897958. Phone Number：22671187. E-mail：tgjzm@zigptxec.parks.cn

765。姓名: 桓泽圣

住址（医院）：中国上海市黄浦区沛来路 506 号红豹医院（邮政编码：678478）。联系电话：78382099。电子邮箱：dfhny@lzuqcmhn.health.cn

Zhù zhǐ: Huán Zé Shèng Zhōng Guó Shànghǎi Shì Huángpǔ Qū Pèi Lái Lù 506 Hào Hóng Bào Yī Yuàn（Yóuzhèng Biānmǎ：678478). Liánxì Diànhuà：78382099. Diànzǐ Yóuxiāng：dfhny@lzuqcmhn.health.cn

Ze Sheng Huan, Hong Bao Hospital, 506 Pei Lai Road, Huangpu District, Shanghai, China. Postal Code: 678478. Phone Number：78382099. E-mail：dfhny@lzuqcmhn.health.cn

766。姓名: 昝乙威

住址（酒店）：中国上海市普陀区冕陆路 411 号波独酒店（邮政编码：312722）。联系电话：73942663。电子邮箱：tshog@xosydknt.biz.cn

Zhù zhǐ: Zǎn Yǐ Wēi Zhōng Guó Shànghǎi Shì Pǔtuó Qū Miǎn Lù Lù 411 Hào Bō Dú Jiǔ Diàn（Yóuzhèng Biānmǎ：312722). Liánxì Diànhuà：73942663. Diànzǐ Yóuxiāng：tshog@xosydknt.biz.cn

Yi Wei Zan, Bo Du Hotel, 411 Mian Lu Road, Putuo District, Shanghai, China. Postal Code: 312722. Phone Number：73942663. E-mail：tshog@xosydknt.biz.cn

767。姓名: 裴王福

住址（公共汽车站）：中国上海市闵行区原稼路 351 号轶光站（邮政编码：334977）。联系电话：33751199。电子邮箱：haugj@rzhfwcsk.transport.cn

Zhù zhǐ: Péi Wáng Fú Zhōng Guó Shànghǎi Shì Mǐnxíng Qū Yuán Jià Lù 351 Hào Yì Guāng Zhàn（Yóuzhèng Biānmǎ：334977）. Liánxì Diànhuà：33751199. Diànzǐ Yóuxiāng：haugj@rzhfwcsk.transport.cn

Wang Fu Pei, Yi Guang Bus Station, 351 Yuan Jia Road, Minhang District, Shanghai, China. Postal Code: 334977. Phone Number：33751199. E-mail：haugj@rzhfwcsk.transport.cn

768。姓名: 容中舟

住址（医院）：中国上海市长宁区钊友路 810 号淹葆医院（邮政编码：975142）。联系电话：38542890。电子邮箱：osuie@sqpgovdc.health.cn

Zhù zhǐ: Róng Zhòng Zhōu Zhōng Guó Shànghǎi Shì Zhǎngníng Qū Zhāo Yǒu Lù 810 Hào Yān Bǎo Yī Yuàn（Yóuzhèng Biānmǎ：975142）. Liánxì Diànhuà：38542890. Diànzǐ Yóuxiāng：osuie@sqpgovdc.health.cn

Zhong Zhou Rong, Yan Bao Hospital, 810 Zhao You Road, Changning District, Shanghai, China. Postal Code: 975142. Phone Number：38542890. E-mail：osuie@sqpgovdc.health.cn

769。姓名: 党陆石

住址（寺庙）：中国上海市金山区九寰路 250 号科波寺（邮政编码：271891）。联系电话：66567301。电子邮箱：aoifu@jswatqyc.god.cn

Zhù zhǐ: Dǎng Lù Dàn Zhōng Guó Shànghǎi Shì Jīnshān Qū Jiǔ Huán Lù 250 Hào Kē Bō Sì（Yóuzhèng Biānmǎ：271891）. Liánxì Diànhuà：66567301. Diànzǐ Yóuxiāng：aoifu@jswatqyc.god.cn

Lu Dan Dang, Ke Bo Temple, 250 Jiu Huan Road, Jinshan District, Shanghai, China. Postal Code: 271891. Phone Number：66567301. E-mail：aoifu@jswatqyc.god.cn

770。姓名: 佘锡彬

住址（机场）：中国上海市奉贤区食嘉路 518 号上海毅振国际机场（邮政编码：749861）。联系电话：53957309。电子邮箱：rqvsj@siojhprw.airports.cn

Zhù zhǐ: Shé Xī Bīn Zhōng Guó Shànghǎi Shì Fèngxián Qū Shí Jiā Lù 518 Hào àngǎi Yì Zhèn Guó Jì Jī Chǎng (Yóuzhèng Biānmǎ：749861). Liánxì Diànhuà：53957309. Diànzǐ Yóuxiāng：rqvsj@siojhprw.airports.cn

Xi Bin She, Shanghai Yi Zhen International Airport, 518 Shi Jia Road, Fengxian District, Shanghai, China. Postal Code: 749861. Phone Number：53957309. E-mail：rqvsj@siojhprw.airports.cn

771。姓名: 饶泽屹

住址（湖泊）：中国上海市浦东新区辉国路 113 号桥易湖（邮政编码：353354）。联系电话：49328851。电子邮箱：njxsm@gjwbrmcu.lakes.cn

Zhù zhǐ: Ráo Zé Yì Zhōng Guó Shànghǎi Shì Pǔdōng Xīnqū Huī Guó Lù 113 Hào Qiáo Yì Hú (Yóuzhèng Biānmǎ：353354). Liánxì Diànhuà：49328851. Diànzǐ Yóuxiāng：njxsm@gjwbrmcu.lakes.cn

Ze Yi Rao, Qiao Yi Lake, 113 Hui Guo Road, Pudong New Area, Shanghai, China. Postal Code: 353354. Phone Number：49328851. E-mail：njxsm@gjwbrmcu.lakes.cn

772。姓名: 凌守成

住址（博物院）：中国上海市青浦区洵澜路 666 号上海博物馆（邮政编码：364633）。联系电话：34601533。电子邮箱：qtnec@sucvqleg.museums.cn

Zhù zhǐ: Líng Shǒu Chéng Zhōng Guó Shànghǎi Shì Qīngpǔ Qū Xún Lán Lù 666 Hào àngǎi Bó Wù Guǎn (Yóuzhèng Biānmǎ：364633). Liánxì Diànhuà：34601533. Diànzǐ Yóuxiāng：qtnec@sucvqleg.museums.cn

Shou Cheng Ling, Shanghai Museum, 666 Xun Lan Road, Qingpu District, Shanghai, China. Postal Code: 364633. Phone Number： 34601533. E-mail：qtnec@sucvqleg.museums.cn

773。姓名: 柯独食

住址（公共汽车站）： 中国上海市浦东新区敬水路 392 号昌鹤站（邮政编码：448364）。联系电话：31112177。电子邮箱： kqodr@erfongph.transport.cn

Zhù zhǐ: Kē Dú Shí Zhōng Guó Shànghǎi Shì Pǔdōng Xīnqū Jìng Shuǐ Lù 392 Hào Chāng Hè Zhàn (Yóuzhèng Biānmǎ： 448364). Liánxì Diànhuà： 31112177. Diànzǐ Yóuxiāng： kqodr@erfongph.transport.cn

Du Shi Ke, Chang He Bus Station, 392 Jing Shui Road, Pudong New Area, Shanghai, China. Postal Code: 448364. Phone Number： 31112177. E-mail：kqodr@erfongph.transport.cn

774。姓名: 梅胜祥

住址（公园）： 中国上海市黄浦区锡土路 772 号愈学公园（邮政编码：160036）。联系电话：92001878。电子邮箱： sxhle@utshypjq.parks.cn

Zhù zhǐ: Méi Shēng Xiáng Zhōng Guó Shànghǎi Shì Huángpǔ Qū Xī Tǔ Lù 772 Hào Yù Xué Gōng Yuán (Yóuzhèng Biānmǎ： 160036). Liánxì Diànhuà： 92001878. Diànzǐ Yóuxiāng： sxhle@utshypjq.parks.cn

Sheng Xiang Mei, Yu Xue Park, 772 Xi Tu Road, Huangpu District, Shanghai, China. Postal Code: 160036. Phone Number： 92001878. E-mail：sxhle@utshypjq.parks.cn

775。姓名: 汝炯昌

住址（大学）： 中国上海市浦东新区桥世大学强水路 225 号（邮政编码：586064）。联系电话：92245826。电子邮箱： jeafs@mjvkchnz.edu.cn

Zhù zhǐ: Rǔ Jiǒng Chāng Zhōng Guó Shànghǎi Shì Pǔdōng Xīnqū Qiáo Shì DàxuéQiǎng Shuǐ Lù 225 Hào（Yóuzhèng Biānmǎ：586064). Liánxì Diànhuà：92245826. Diànzǐ Yóuxiāng：jeafs@mjvkchnz.edu.cn

Jiong Chang Ru, Qiao Shi University, 225 Qiang Shui Road, Pudong New Area, Shanghai, China. Postal Code: 586064. Phone Number：92245826. E-mail：jeafs@mjvkchnz.edu.cn

776。姓名: 钱懂彬

住址（家庭）：中国上海市虹口区钦友路 154 号轶涛公寓 20 层 342 室（邮政编码：850247）。联系电话：72401738。电子邮箱：hrjea@otpudaqb.cn

Zhù zhǐ: Qián Dǒng Bīn Zhōng Guó Shànghǎi Shì Hóngkǒu Qū Qīn Yǒu Lù 154 Hào Yì Tāo Gōng Yù 20 Céng 342 Shì (Yóuzhèng Biānmǎ：850247). Liánxì Diànhuà：72401738. Diànzǐ Yóuxiāng：hrjea@otpudaqb.cn

Dong Bin Qian, Room# 342, Floor# 20, Yi Tao Apartment, 154 Qin You Road, Hongkou District, Shanghai, China. Postal Code: 850247. Phone Number：72401738. E-mail：hrjea@otpudaqb.cn

777。姓名: 后译渊

住址（寺庙）：中国上海市浦东新区庆振路 212 号绅轼寺（邮政编码：496202）。联系电话：67028401。电子邮箱：bkydj@xepaimgr.god.cn

Zhù zhǐ: Hòu Yì Yuān Zhōng Guó Shànghǎi Shì Pǔdōng Xīnqū Qìng Zhèn Lù 212 Hào Shēn Shì Sì (Yóuzhèng Biānmǎ：496202). Liánxì Diànhuà：67028401. Diànzǐ Yóuxiāng：bkydj@xepaimgr.god.cn

Yi Yuan Hou, Shen Shi Temple, 212 Qing Zhen Road, Pudong New Area, Shanghai, China. Postal Code: 496202. Phone Number：67028401. E-mail：bkydj@xepaimgr.god.cn

778。姓名: 呼延乐勇

住址（公司）：中国上海市浦东新区谢自路 130 号乐刚有限公司（邮政编码：653537）。联系电话：91305971。电子邮箱：enrbk@lviprwes.biz.cn

Zhù zhǐ: Hūyán Lè Yǒng Zhōng Guó Shànghǎi Shì Pǔdōng Xīnqū Xiè Zì Lù 130 Hào Lè Gāng Yǒuxiàn Gōngsī (Yóuzhèng Biānmǎ: 653537). Liánxì Diànhuà: 91305971. Diànzǐ Yóuxiāng: enrbk@lviprwes.biz.cn

Le Yong Huyan, Le Gang Corporation, 130 Xie Zi Road, Pudong New Area, Shanghai, China. Postal Code: 653537. Phone Number: 91305971. E-mail: enrbk@lviprwes.biz.cn

779。姓名: 景亭光

住址（家庭）：中国上海市普陀区炯食路 128 号石征公寓 10 层 882 室（邮政编码：196900）。联系电话：44944039。电子邮箱：ktagp@iudrxshj.cn

Zhù zhǐ: Jǐng Tíng Guāng Zhōng Guó Shànghǎi Shì Pǔtuó Qū Jiǒng Yì Lù 128 Hào Dàn Zhēng Gōng Yù 10 Céng 882 Shì (Yóuzhèng Biānmǎ: 196900). Liánxì Diànhuà: 44944039. Diànzǐ Yóuxiāng: ktagp@iudrxshj.cn

Ting Guang Jing, Room# 882, Floor# 10, Dan Zheng Apartment, 128 Jiong Yi Road, Putuo District, Shanghai, China. Postal Code: 196900. Phone Number: 44944039. E-mail: ktagp@iudrxshj.cn

780。姓名: 祝计队

住址（公共汽车站）：中国上海市虹口区阳启路 604 号金钊站（邮政编码：992390）。联系电话：37761968。电子邮箱：azywx@zdlsiutb.transport.cn

Zhù zhǐ: Zhù Jì Duì Zhōng Guó Shànghǎi Shì Hóngkǒu Qū Yáng Qǐ Lù 604 Hào Jīn Zhāo Zhàn (Yóuzhèng Biānmǎ: 992390). Liánxì Diànhuà: 37761968. Diànzǐ Yóuxiāng: azywx@zdlsiutb.transport.cn

Ji Dui Zhu, Jin Zhao Bus Station, 604 Yang Qi Road, Hongkou District, Shanghai, China. Postal Code: 992390. Phone Number: 37761968. E-mail: azywx@zdlsiutb.transport.cn

CHAPTER 2: NAME, SURNAME & ADDRESSES (31-60)

781。姓名: 宰父轶乙

住址（寺庙）：中国上海市静安区辙茂路 121 号宝祥寺（邮政编码：288054）。联系电话：83413283。电子邮箱：vwjpq@yghimtzx.god.cn

Zhù zhǐ: Zǎifǔ Yì Yǐ Zhōng Guó Shànghǎi Shì Jìngān Qū Zhé Mào Lù 121 Hào Bǎo Xiáng Sì（Yóuzhèng Biānmǎ：288054）. Liánxì Diànhuà：83413283. Diànzǐ Yóuxiāng：vwjpq@yghimtzx.god.cn

Yi Yi Zaifu, Bao Xiang Temple, 121 Zhe Mao Road, Jingan District, Shanghai, China. Postal Code: 288054. Phone Number：83413283. E-mail：vwjpq@yghimtzx.god.cn

782。姓名: 乔舟钊

住址（酒店）：中国上海市普陀区科圣路 654 号秀强酒店（邮政编码：426396）。联系电话：94005142。电子邮箱：mezgw@ntmewsvb.biz.cn

Zhù zhǐ: Qiáo Zhōu Zhāo Zhōng Guó Shànghǎi Shì Pǔtuó Qū Kē Shèng Lù 654 Hào Xiù Qiǎng Jiǔ Diàn（Yóuzhèng Biānmǎ：426396）. Liánxì Diànhuà：94005142. Diànzǐ Yóuxiāng：mezgw@ntmewsvb.biz.cn

Zhou Zhao Qiao, Xiu Qiang Hotel, 654 Ke Sheng Road, Putuo District, Shanghai, China. Postal Code: 426396. Phone Number：94005142. E-mail：mezgw@ntmewsvb.biz.cn

783。姓名: 胡克熔

住址（医院）：中国上海市浦东新区坡宽路 303 号石大医院（邮政编码：146426）。联系电话：31686736。电子邮箱：dloev@uimaykjv.health.cn

Zhù zhǐ: Hú Kè Róng Zhōng Guó Shànghǎi Shì Pǔdōng Xīnqū Pō Kuān Lù 303 Hào Dàn Dài Yī Yuàn（Yóuzhèng Biānmǎ：146426）. Liánxì Diànhuà：31686736. Diànzǐ Yóuxiāng：dloev@uimaykjv.health.cn

Ke Rong Hu, Dan Dai Hospital, 303 Po Kuan Road, Pudong New Area, Shanghai, China. Postal Code: 146426. Phone Number：31686736. E-mail：dloev@uimaykjv.health.cn

784。姓名: 庞全源

住址（医院）：中国上海市黄浦区恩超路 631 号谢强医院（邮政编码：637069）。联系电话：54680161。电子邮箱：yivgs@pqmktzbc.health.cn

Zhù zhǐ: Páng Quán Yuán Zhōng Guó Shànghǎi Shì Huángpǔ Qū Ēn Chāo Lù 631 Hào Xiè Qiǎng Yī Yuàn (Yóuzhèng Biānmǎ：637069). Liánxì Diànhuà：54680161. Diànzǐ Yóuxiāng：yivgs@pqmktzbc.health.cn

Quan Yuan Pang, Xie Qiang Hospital, 631 En Chao Road, Huangpu District, Shanghai, China. Postal Code: 637069. Phone Number：54680161. E-mail：yivgs@pqmktzbc.health.cn

785。姓名: 崔轼沛

住址（广场）：中国上海市浦东新区沛锤路 414 号金员广场（邮政编码：282228）。联系电话：41933416。电子邮箱：fyagt@aheloqcd.squares.cn

Zhù zhǐ: Cuī Shì Pèi Zhōng Guó Shànghǎi Shì Pǔdōng Xīnqū Pèi Chuí Lù 414 Hào Jīn Yún Guǎng Chǎng (Yóuzhèng Biānmǎ：282228). Liánxì Diànhuà：41933416. Diànzǐ Yóuxiāng：fyagt@aheloqcd.squares.cn

Shi Pei Cui, Jin Yun Square, 414 Pei Chui Road, Pudong New Area, Shanghai, China. Postal Code: 282228. Phone Number：41933416. E-mail：fyagt@aheloqcd.squares.cn

786。姓名: 公焯启

住址（公园）：中国上海市宝山区陶山路 890 号浩可公园（邮政编码：657878）。联系电话：59327366。电子邮箱：bpwqn@ihnfmuaz.parks.cn

Zhù zhǐ: Gōng Zhuō Qǐ Zhōng Guó Shànghǎi Shì Bǎoshān Qū Táo Shān Lù 890 Hào Hào Kě Gōng Yuán（Yóuzhèng Biānmǎ：657878）. Liánxì Diànhuà：59327366. Diànzǐ Yóuxiāng：bpwqn@ihnfmuaz.parks.cn

Zhuo Qi Gong, Hao Ke Park, 890 Tao Shan Road, Baoshan District, Shanghai, China. Postal Code: 657878. Phone Number：59327366. E-mail：bpwqn@ihnfmuaz.parks.cn

787。姓名: 慕容维发

住址（公司）：中国上海市嘉定区土全路 811 号居启有限公司（邮政编码：849585）。联系电话：77213336。电子邮箱：regqy@xrjwfctp.biz.cn

Zhù zhǐ: Mùróng Wéi Fā Zhōng Guó Shànghǎi Shì Jiādìng Qū Tǔ Quán Lù 811 Hào Jū Qǐ Yǒuxiàn Gōngsī（Yóuzhèng Biānmǎ：849585）. Liánxì Diànhuà：77213336. Diànzǐ Yóuxiāng：regqy@xrjwfctp.biz.cn

Wei Fa Murong, Ju Qi Corporation, 811 Tu Quan Road, Jiading District, Shanghai, China. Postal Code: 849585. Phone Number：77213336. E-mail：regqy@xrjwfctp.biz.cn

788。姓名: 向山水

住址（火车站）：中国上海市长宁区源俊路 287 号上海站（邮政编码：653457）。联系电话：82379705。电子邮箱：zuqhl@vgnaiqbp.chr.cn

Zhù zhǐ: Xiàng Shān Shuǐ Zhōng Guó Shànghǎi Shì Zhǎngníng Qū Yuán Jùn Lù 287 Hào àngǎi Zhàn（Yóuzhèng Biānmǎ：653457）. Liánxì Diànhuà：82379705. Diànzǐ Yóuxiāng：zuqhl@vgnaiqbp.chr.cn

Shan Shui Xiang, Shanghai Railway Station, 287 Yuan Jun Road, Changning District, Shanghai, China. Postal Code: 653457. Phone Number：82379705. E-mail：zuqhl@vgnaiqbp.chr.cn

789。姓名: 蔺谢水

住址（医院）：中国上海市黄浦区勇焯路 353 号豹钊医院（邮政编码：111577）。联系电话：16561195。电子邮箱：koril@zubncraj.health.cn

Zhù zhǐ: Lìn Xiè Shuǐ Zhōng Guó Shànghǎi Shì Huángpǔ Qū Yǒng Zhuō Lù 353 Hào Bào Zhāo Yī Yuàn （Yóuzhèng Biānmǎ：111577). Liánxì Diànhuà：16561195. Diànzǐ Yóuxiāng：koril@zubncraj.health.cn

Xie Shui Lin, Bao Zhao Hospital, 353 Yong Zhuo Road, Huangpu District, Shanghai, China. Postal Code: 111577. Phone Number：16561195. E-mail：koril@zubncraj.health.cn

790。姓名: 王游沛

住址（湖泊）：中国上海市松江区继院路 888 号强食湖（邮政编码：723910）。联系电话：37842760。电子邮箱：etkjz@jltenhqz.lakes.cn

Zhù zhǐ: Wáng Yóu Pèi Zhōng Guó Shànghǎi Shì Sōngjiāng Qū Jì Yuàn Lù 888 Hào Qiáng Yì Hú （Yóuzhèng Biānmǎ：723910). Liánxì Diànhuà：37842760. Diànzǐ Yóuxiāng：etkjz@jltenhqz.lakes.cn

You Pei Wang, Qiang Yi Lake, 888 Ji Yuan Road, Songjiang District, Shanghai, China. Postal Code: 723910. Phone Number：37842760. E-mail：etkjz@jltenhqz.lakes.cn

791。姓名: 文不际

住址（博物院）：中国上海市宝山区全柱路 466 号上海博物馆（邮政编码：913999）。联系电话：42930717。电子邮箱：mphev@opjkvqnr.museums.cn

Zhù zhǐ: Wén Bù Jì Zhōng Guó Shànghǎi Shì Bǎoshān Qū Quán Zhù Lù 466 Hào àngǎi Bó Wù Guǎn （Yóuzhèng Biānmǎ：913999). Liánxì Diànhuà：42930717. Diànzǐ Yóuxiāng：mphev@opjkvqnr.museums.cn

Bu Ji Wen, Shanghai Museum, 466 Quan Zhu Road, Baoshan District, Shanghai, China. Postal Code: 913999. Phone Number：42930717. E-mail：mphev@opjkvqnr.museums.cn

792。姓名: 仰中恩

住址（火车站）：中国上海市嘉定区乙强路 266 号上海站（邮政编码：217211）。联系电话：70352353。电子邮箱：bfaum@iaqocmdx.chr.cn

Zhù zhǐ: Yǎng Zhòng Ēn Zhōng Guó Shànghǎi Shì Jiādìng Qū Yǐ Qiǎng Lù 266 Hào àngǎi Zhàn (Yóuzhèng Biānmǎ: 217211). Liánxì Diànhuà: 70352353. Diànzǐ Yóuxiāng: bfaum@iaqocmdx.chr.cn

Zhong En Yang, Shanghai Railway Station, 266 Yi Qiang Road, Jiading District, Shanghai, China. Postal Code: 217211. Phone Number: 70352353. E-mail: bfaum@iaqocmdx.chr.cn

793。姓名: 夔钢晖

住址（公司）：中国上海市宝山区翼毅路 797 号化中有限公司（邮政编码：715981）。联系电话：62855813。电子邮箱：xhpkv@kyxhljqw.biz.cn

Zhù zhǐ: Kuí Gāng Huī Zhōng Guó Shànghǎi Shì Bǎoshān Qū Yì Yì Lù 797 Hào Huà Zhōng Yǒuxiàn Gōngsī (Yóuzhèng Biānmǎ: 715981). Liánxì Diànhuà: 62855813. Diànzǐ Yóuxiāng: xhpkv@kyxhljqw.biz.cn

Gang Hui Kui, Hua Zhong Corporation, 797 Yi Yi Road, Baoshan District, Shanghai, China. Postal Code: 715981. Phone Number: 62855813. E-mail: xhpkv@kyxhljqw.biz.cn

794。姓名: 连铁启

住址（博物院）：中国上海市金山区石译路 447 号上海博物馆（邮政编码：178716）。联系电话：31203081。电子邮箱：blznt@euldgtri.museums.cn

Zhù zhǐ: Lián Fū Qǐ Zhōng Guó Shànghǎi Shì Jīnshān Qū Dàn Yì Lù 447 Hào àngǎi Bó Wù Guǎn (Yóuzhèng Biānmǎ: 178716). Liánxì Diànhuà: 31203081. Diànzǐ Yóuxiāng: blznt@euldgtri.museums.cn

Fu Qi Lian, Shanghai Museum, 447 Dan Yi Road, Jinshan District, Shanghai, China. Postal Code: 178716. Phone Number：31203081. E-mail：blznt@euldgtri.museums.cn

795。姓名: 殳洵发

住址（广场）：中国上海市普陀区熔轶路 302 号白禹广场（邮政编码：493677）。联系电话：26133113。电子邮箱：vdkfx@tlorfmce.squares.cn

Zhù zhǐ: Shū Xún Fā Zhōng Guó Shànghǎi Shì Pǔtuó Qū Róng Yì Lù 302 Hào Bái Yǔ Guǎng Chǎng（Yóuzhèng Biānmǎ：493677). Liánxì Diànhuà：26133113. Diànzǐ Yóuxiāng：vdkfx@tlorfmce.squares.cn

Xun Fa Shu, Bai Yu Square, 302 Rong Yi Road, Putuo District, Shanghai, China. Postal Code: 493677. Phone Number：26133113. E-mail：vdkfx@tlorfmce.squares.cn

796。姓名: 阎强恩

住址（火车站）：中国上海市松江区晗腾路 301 号上海站（邮政编码：284336）。联系电话：64130996。电子邮箱：gwpym@nxojiktu.chr.cn

Zhù zhǐ: Yán Qiǎng Ēn Zhōng Guó Shànghǎi Shì Sōngjiāng Qū Hán Téng Lù 301 Hào àngǎi Zhàn（Yóuzhèng Biānmǎ：284336). Liánxì Diànhuà：64130996. Diànzǐ Yóuxiāng：gwpym@nxojiktu.chr.cn

Qiang En Yan, Shanghai Railway Station, 301 Han Teng Road, Songjiang District, Shanghai, China. Postal Code: 284336. Phone Number：64130996. E-mail：gwpym@nxojiktu.chr.cn

797。姓名: 容化金

住址（公共汽车站）：中国上海市浦东新区桥世路 187 号白晖站（邮政编码：364666）。联系电话：85809850。电子邮箱：letus@awmlrcxd.transport.cn

Zhù zhǐ: Róng Huà Jīn Zhōng Guó Shànghǎi Shì Pǔdōng Xīnqū Qiáo Shì Lù 187 Hào Bái Huī Zhàn (Yóuzhèng Biānmǎ: 364666). Liánxì Diànhuà: 85809850. Diànzǐ Yóuxiāng: letus@awmlrcxd.transport.cn

Hua Jin Rong, Bai Hui Bus Station, 187 Qiao Shi Road, Pudong New Area, Shanghai, China. Postal Code: 364666. Phone Number: 85809850. E-mail: letus@awmlrcxd.transport.cn

798。姓名: 澹台星腾

住址（医院）：中国上海市青浦区员敬路 198 号伦际医院（邮政编码：366404）。联系电话：30302283。电子邮箱：qnsiz@tnclyjqp.health.cn

Zhù zhǐ: Tántái Xīng Téng Zhōng Guó Shànghǎi Shì Qīngpǔ Qū Yún Jìng Lù 198 Hào Lún Jì Yī Yuàn (Yóuzhèng Biānmǎ: 366404). Liánxì Diànhuà: 30302283. Diànzǐ Yóuxiāng: qnsiz@tnclyjqp.health.cn

Xing Teng Tantai, Lun Ji Hospital, 198 Yun Jing Road, Qingpu District, Shanghai, China. Postal Code: 366404. Phone Number: 30302283. E-mail: qnsiz@tnclyjqp.health.cn

799。姓名: 郭泽振

住址（公司）：中国上海市宝山区骥独路 346 号化铭有限公司（邮政编码：409491）。联系电话：83049243。电子邮箱：revfu@uvafhwdq.biz.cn

Zhù zhǐ: Guō Zé Zhèn Zhōng Guó Shànghǎi Shì Bǎoshān Qū Jì Dú Lù 346 Hào Huā Míng Yǒuxiàn Gōngsī (Yóuzhèng Biānmǎ: 409491). Liánxì Diànhuà: 83049243. Diànzǐ Yóuxiāng: revfu@uvafhwdq.biz.cn

Ze Zhen Guo, Hua Ming Corporation, 346 Ji Du Road, Baoshan District, Shanghai, China. Postal Code: 409491. Phone Number: 83049243. E-mail: revfu@uvafhwdq.biz.cn

800。姓名: 童骥亮

住址（公园）：中国上海市徐汇区郁庆路 504 号陆先公园（邮政编码：356859）。联系电话：91651760。电子邮箱：oibnw@bayoqfsm.parks.cn

Zhù zhǐ: Tóng Jì Liàng Zhōng Guó Shànghǎi Shì Xúhuì Qū Yù Qìng Lù 504 Hào Lù Xiān Gōng Yuán（Yóuzhèng Biānmǎ：356859). Liánxì Diànhuà：91651760. Diànzǐ Yóuxiāng：oibnw@bayoqfsm.parks.cn

Ji Liang Tong, Lu Xian Park, 504 Yu Qing Road, Xuhui District, Shanghai, China. Postal Code: 356859. Phone Number：91651760. E-mail：oibnw@bayoqfsm.parks.cn

801。姓名: 颛孙院风

住址（公园）：中国上海市长宁区己乙路 908 号盛刚公园（邮政编码：402747）。联系电话：28300813。电子邮箱：vphqj@gpfnvxbt.parks.cn

Zhù zhǐ: Zhuānsūn Yuàn Fēng Zhōng Guó Shànghǎi Shì Zhǎngníng Qū Jǐ Yǐ Lù 908 Hào Chéng Gāng Gōng Yuán（Yóuzhèng Biānmǎ：402747). Liánxì Diànhuà：28300813. Diànzǐ Yóuxiāng：vphqj@gpfnvxbt.parks.cn

Yuan Feng Zhuansun, Cheng Gang Park, 908 Ji Yi Road, Changning District, Shanghai, China. Postal Code: 402747. Phone Number：28300813. E-mail：vphqj@gpfnvxbt.parks.cn

802。姓名: 勾郁德

住址（公共汽车站）：中国上海市金山区维炯路 441 号骥食站（邮政编码：280750）。联系电话：28674360。电子邮箱：sbpav@ngeobiyk.transport.cn

Zhù zhǐ: Gōu Yù Dé Zhōng Guó Shànghǎi Shì Jīnshān Qū Wéi Jiǒng Lù 441 Hào Jì Yì Zhàn（Yóuzhèng Biānmǎ：280750). Liánxì Diànhuà：28674360. Diànzǐ Yóuxiāng：sbpav@ngeobiyk.transport.cn

Yu De Gou, Ji Yi Bus Station, 441 Wei Jiong Road, Jinshan District, Shanghai, China. Postal Code: 280750. Phone Number：28674360. E-mail：sbpav@ngeobiyk.transport.cn

803。姓名: 巫马土泽

住址（寺庙）：中国上海市长宁区不胜路 901 号轶寰寺（邮政编码：274839）。联系电话：24498216。电子邮箱：nbauo@jutszelq.god.cn

Zhù zhǐ: Wūmǎ Tǔ Zé Zhōng Guó Shànghǎi Shì Zhǎngníng Qū Bù Shēng Lù 901 Hào Yì Huán Sì（Yóuzhèng Biānmǎ：274839). Liánxì Diànhuà：24498216. Diànzǐ Yóuxiāng：nbauo@jutszelq.god.cn

Tu Ze Wuma, Yi Huan Temple, 901 Bu Sheng Road, Changning District, Shanghai, China. Postal Code: 274839. Phone Number：24498216. E-mail：nbauo@jutszelq.god.cn

804。姓名: 羊圣寰

住址（博物院）：中国上海市嘉定区桥九路 630 号上海博物馆（邮政编码：224414）。联系电话：71912877。电子邮箱：qujvh@magpyqsw.museums.cn

Zhù zhǐ: Yáng Shèng Huán Zhōng Guó Shànghǎi Shì Jiādìng Qū Qiáo Jiǔ Lù 630 Hào àngǎi Bó Wù Guǎn（Yóuzhèng Biānmǎ：224414). Liánxì Diànhuà：71912877. Diànzǐ Yóuxiāng：qujvh@magpyqsw.museums.cn

Sheng Huan Yang, Shanghai Museum, 630 Qiao Jiu Road, Jiading District, Shanghai, China. Postal Code: 224414. Phone Number：71912877. E-mail：qujvh@magpyqsw.museums.cn

805。姓名: 帅毅腾

住址（火车站）：中国上海市静安区学民路 246 号上海站（邮政编码：670114）。联系电话：31836776。电子邮箱：mjrkz@ytckxngs.chr.cn

Zhù zhǐ: Shuài Yì Téng Zhōng Guó Shànghǎi Shì Jìngān Qū Xué Mín Lù 246 Hào àngǎi Zhàn（Yóuzhèng Biānmǎ：670114). Liánxì Diànhuà：31836776. Diànzǐ Yóuxiāng：mjrkz@ytckxngs.chr.cn

Yi Teng Shuai, Shanghai Railway Station, 246 Xue Min Road, Jingan District, Shanghai, China. Postal Code: 670114. Phone Number：31836776. E-mail：mjrkz@ytckxngs.chr.cn

806。姓名: 阴淹王

住址（酒店）：中国上海市奉贤区盛毅路 750 号可陆酒店（邮政编码：957859）。联系电话：94517286。电子邮箱：lbmdr@vidbajkh.biz.cn

Zhù zhǐ: Yīn Yān Wàng Zhōng Guó Shànghǎi Shì Fèngxián Qū Shèng Yì Lù 750 Hào Kě Liù Jiǔ Diàn（Yóuzhèng Biānmǎ：957859). Liánxì Diànhuà：94517286. Diànzǐ Yóuxiāng：lbmdr@vidbajkh.biz.cn

Yan Wang Yin, Ke Liu Hotel, 750 Sheng Yi Road, Fengxian District, Shanghai, China. Postal Code: 957859. Phone Number：94517286. E-mail：lbmdr@vidbajkh.biz.cn

807。姓名: 鞠鸣翰

住址（博物院）：中国上海市长宁区食豹路 218 号上海博物馆（邮政编码：847663）。联系电话：83887357。电子邮箱：duxka@spfbwvli.museums.cn

Zhù zhǐ: Jū Míng Hàn Zhōng Guó Shànghǎi Shì Zhǎngníng Qū Shí Bào Lù 218 Hào àngǎi Bó Wù Guǎn（Yóuzhèng Biānmǎ：847663). Liánxì Diànhuà：83887357. Diànzǐ Yóuxiāng：duxka@spfbwvli.museums.cn

Ming Han Ju, Shanghai Museum, 218 Shi Bao Road, Changning District, Shanghai, China. Postal Code: 847663. Phone Number：83887357. E-mail：duxka@spfbwvli.museums.cn

808。姓名: 宁岐浩

住址（酒店）：中国上海市闵行区亮轵路 530 号骥轵酒店（邮政编码：922334）。联系电话：90092198。电子邮箱：biypf@smopfahc.biz.cn

Zhù zhǐ: Nìng Qí Hào Zhōng Guó Shànghǎi Shì Mǐnxíng Qū Liàng Shì Lù 530 Hào Jì Shì Jiǔ Diàn (Yóuzhèng Biānmǎ：922334). Liánxì Diànhuà：90092198. Diànzǐ Yóuxiāng：biypf@smopfahc.biz.cn

Qi Hao Ning, Ji Shi Hotel, 530 Liang Shi Road, Minhang District, Shanghai, China. Postal Code: 922334. Phone Number：90092198. E-mail：biypf@smopfahc.biz.cn

809。姓名: 慕易钊

住址（大学）：中国上海市松江区亮豹大学仓骥路 573 号（邮政编码：725968）。联系电话：94197387。电子邮箱：gedhs@uksogbqw.edu.cn

Zhù zhǐ: Mù Yì Zhāo Zhōng Guó Shànghǎi Shì Sōngjiāng Qū Liàng Bào DàxuéCāng Jì Lù 573 Hào (Yóuzhèng Biānmǎ：725968). Liánxì Diànhuà：94197387. Diànzǐ Yóuxiāng：gedhs@uksogbqw.edu.cn

Yi Zhao Mu, Liang Bao University, 573 Cang Ji Road, Songjiang District, Shanghai, China. Postal Code: 725968. Phone Number：94197387. E-mail：gedhs@uksogbqw.edu.cn

810。姓名: 阎超葛

住址（广场）：中国上海市黄浦区仲队路 113 号员水广场（邮政编码：572701）。联系电话：73522731。电子邮箱：svztc@whloyfmg.squares.cn

Zhù zhǐ: Yán Chāo Gé Zhōng Guó Shànghǎi Shì Huángpǔ Qū Zhòng Duì Lù 113 Hào Yuán Shuǐ Guǎng Chǎng (Yóuzhèng Biānmǎ：572701). Liánxì Diànhuà：73522731. Diànzǐ Yóuxiāng：svztc@whloyfmg.squares.cn

Chao Ge Yan, Yuan Shui Square, 113 Zhong Dui Road, Huangpu District, Shanghai, China. Postal Code: 572701. Phone Number：73522731. E-mail：svztc@whloyfmg.squares.cn

811。姓名: 酆仲队

住址（博物院）：中国上海市宝山区智禹路 307 号上海博物馆（邮政编码：461515）。联系电话：72584958。电子邮箱：cdtwg@tzcjonuv.museums.cn

Zhù zhǐ: Fēng Zhòng Duì Zhōng Guó Shànghǎi Shì Bǎoshān Qū Zhì Yǔ Lù 307 Hào àngǎi Bó Wù Guǎn（Yóuzhèng Biānmǎ：461515). Liánxì Diànhuà：72584958. Diànzǐ Yóuxiāng：cdtwg@tzcjonuv.museums.cn

Zhong Dui Feng, Shanghai Museum, 307 Zhi Yu Road, Baoshan District, Shanghai, China. Postal Code: 461515. Phone Number：72584958. E-mail：cdtwg@tzcjonuv.museums.cn

812。姓名: 谷茂坡

住址（广场）：中国上海市松江区自阳路 851 号强人广场（邮政编码：329387）。联系电话：52503809。电子邮箱：qftil@hoyxluna.squares.cn

Zhù zhǐ: Gǔ Mào Pō Zhōng Guó Shànghǎi Shì Sōngjiāng Qū Zì Yáng Lù 851 Hào Qiáng Rén Guǎng Chǎng（Yóuzhèng Biānmǎ：329387). Liánxì Diànhuà：52503809. Diànzǐ Yóuxiāng：qftil@hoyxluna.squares.cn

Mao Po Gu, Qiang Ren Square, 851 Zi Yang Road, Songjiang District, Shanghai, China. Postal Code: 329387. Phone Number：52503809. E-mail：qftil@hoyxluna.squares.cn

813。姓名: 麻居铁

住址（公园）：中国上海市崇明区翼铭路 387 号龙成公园（邮政编码：135729）。联系电话：96923631。电子邮箱：oqrij@epmwbzxd.parks.cn

Zhù zhǐ: Má Jū Fū Zhōng Guó Shànghǎi Shì Chóngmíng Qū Yì Míng Lù 387 Hào Lóng Chéng Gōng Yuán（Yóuzhèng Biānmǎ：135729). Liánxì Diànhuà：96923631. Diànzǐ Yóuxiāng：oqrij@epmwbzxd.parks.cn

Ju Fu Ma, Long Cheng Park, 387 Yi Ming Road, Chongming District, Shanghai, China. Postal Code: 135729. Phone Number：96923631. E-mail：oqrij@epmwbzxd.parks.cn

814。姓名: 滕甫大

住址（机场）：中国上海市松江区克葛路 394 号上海大成国际机场（邮政编码：515932）。联系电话：75927842。电子邮箱：uvkmc@ugyqvcar.airports.cn

Zhù zhǐ: Téng Fǔ Dài Zhōng Guó Shànghǎi Shì Sōngjiāng Qū Kè Gé Lù 394 Hào àngǎi Dài Chéng Guó Jì Jī Chǎng（Yóuzhèng Biānmǎ：515932). Liánxì Diànhuà：75927842. Diànzǐ Yóuxiāng：uvkmc@ugyqvcar.airports.cn

Fu Dai Teng, Shanghai Dai Cheng International Airport, 394 Ke Ge Road, Songjiang District, Shanghai, China. Postal Code: 515932. Phone Number：75927842. E-mail：uvkmc@ugyqvcar.airports.cn

815。姓名: 蔚腾珂

住址（湖泊）：中国上海市闵行区轼辙路 925 号威坤湖（邮政编码：556914）。联系电话：31584612。电子邮箱：crwxd@vetkdfqz.lakes.cn

Zhù zhǐ: Wèi Téng Kē Zhōng Guó Shànghǎi Shì Mǐnxíng Qū Shì Zhé Lù 925 Hào Wēi Kūn Hú（Yóuzhèng Biānmǎ：556914). Liánxì Diànhuà：31584612. Diànzǐ Yóuxiāng：crwxd@vetkdfqz.lakes.cn

Teng Ke Wei, Wei Kun Lake, 925 Shi Zhe Road, Minhang District, Shanghai, China. Postal Code: 556914. Phone Number：31584612. E-mail：crwxd@vetkdfqz.lakes.cn

816。姓名: 扈风熔

住址（公司）：中国上海市崇明区铭世路 399 号惟亮有限公司（邮政编码：211518）。联系电话：27262722。电子邮箱：byuei@abvkensr.biz.cn

Zhù zhǐ: Hù Fēng Róng Zhōng Guó Shànghǎi Shì Chóngmíng Qū Míng Shì Lù 399 Hào Wéi Liàng Yǒuxiàn Gōngsī （Yóuzhèng Biānmǎ：211518）. Liánxì Diànhuà：27262722. Diànzǐ Yóuxiāng： byuei@abvkensr.biz.cn

Feng Rong Hu, Wei Liang Corporation, 399 Ming Shi Road, Chongming District, Shanghai, China. Postal Code: 211518. Phone Number：27262722. E-mail： byuei@abvkensr.biz.cn

817。姓名: 白大乐

住址（寺庙）：中国上海市杨浦区王食路 872 号际恩寺（邮政编码：261870）。联系电话：78273522。电子邮箱：xzdce@uqobgedf.god.cn

Zhù zhǐ: Bái Dà Lè Zhōng Guó Shànghǎi Shì Yángpǔ Qū Wáng Sì Lù 872 Hào Jì Ēn Sì (Yóuzhèng Biānmǎ：261870). Liánxì Diànhuà：78273522. Diànzǐ Yóuxiāng： xzdce@uqobgedf.god.cn

Da Le Bai, Ji En Temple, 872 Wang Si Road, Yangpu District, Shanghai, China. Postal Code: 261870. Phone Number：78273522. E-mail： xzdce@uqobgedf.god.cn

818。姓名: 乐正淹稼

住址（公园）：中国上海市黄浦区轼盛路 110 号友宽公园（邮政编码：643239）。联系电话：69867925。电子邮箱：xypba@vzdohcre.parks.cn

Zhù zhǐ: Yuèzhèng Yān Jià Zhōng Guó Shànghǎi Shì Huángpǔ Qū Shì Shèng Lù 110 Hào Yǒu Kuān Gōng Yuán （Yóuzhèng Biānmǎ：643239). Liánxì Diànhuà：69867925. Diànzǐ Yóuxiāng：xypba@vzdohcre.parks.cn

Yan Jia Yuezheng, You Kuan Park, 110 Shi Sheng Road, Huangpu District, Shanghai, China. Postal Code: 643239. Phone Number：69867925. E-mail： xypba@vzdohcre.parks.cn

819。姓名: 平彬翰

住址（医院）：中国上海市闵行区葛锤路 613 号源茂医院（邮政编码：310566）。联系电话：19467103。电子邮箱：zqxis@rqgdtcxu.health.cn

Zhù zhǐ: Píng Bīn Hàn Zhōng Guó Shànghǎi Shì Mǐnxíng Qū Gé Chuí Lù 613 Hào Yuán Mào Yī Yuàn（Yóuzhèng Biānmǎ：310566）. Liánxì Diànhuà：19467103. Diànzǐ Yóuxiāng：zqxis@rqgdtcxu.health.cn

Bin Han Ping, Yuan Mao Hospital, 613 Ge Chui Road, Minhang District, Shanghai, China. Postal Code: 310566. Phone Number：19467103. E-mail：zqxis@rqgdtcxu.health.cn

820。姓名: 莘庆豹

住址（酒店）：中国上海市崇明区世游路 747 号仓陆酒店（邮政编码：417465）。联系电话：21457140。电子邮箱：lqhry@xynbsrdm.biz.cn

Zhù zhǐ: Shēn Qìng Bào Zhōng Guó Shànghǎi Shì Chóngmíng Qū Shì Yóu Lù 747 Hào Cāng Liù Jiǔ Diàn（Yóuzhèng Biānmǎ：417465）. Liánxì Diànhuà：21457140. Diànzǐ Yóuxiāng：lqhry@xynbsrdm.biz.cn

Qing Bao Shen, Cang Liu Hotel, 747 Shi You Road, Chongming District, Shanghai, China. Postal Code: 417465. Phone Number：21457140. E-mail：lqhry@xynbsrdm.biz.cn

821。姓名: 宿其炯

住址（广场）：中国上海市奉贤区食王路 394 号屹轶广场（邮政编码：955335）。联系电话：42309604。电子邮箱：qiwly@ehfcruks.squares.cn

Zhù zhǐ: Sù Qí Jiǒng Zhōng Guó Shànghǎi Shì Fèngxián Qū Shí Wàng Lù 394 Hào Yì Yì Guǎng Chǎng（Yóuzhèng Biānmǎ：955335）. Liánxì Diànhuà：42309604. Diànzǐ Yóuxiāng：qiwly@ehfcruks.squares.cn

Qi Jiong Su, Yi Yi Square, 394 Shi Wang Road, Fengxian District, Shanghai, China. Postal Code: 955335. Phone Number：42309604. E-mail：qiwly@ehfcruks.squares.cn

822。姓名: 吴腾寰

住址（湖泊）：中国上海市杨浦区王珂路 302 号原岐湖（邮政编码：138712）。联系电话：44148355。电子邮箱：gnkcd@rzamuqej.lakes.cn

Zhù zhǐ: Wú Téng Huán Zhōng Guó Shànghǎi Shì Yángpǔ Qū Wáng Kē Lù 302 Hào Yuán Qí Hú（Yóuzhèng Biānmǎ：138712). Liánxì Diànhuà：44148355. Diànzǐ Yóuxiāng：gnkcd@rzamuqej.lakes.cn

Teng Huan Wu, Yuan Qi Lake, 302 Wang Ke Road, Yangpu District, Shanghai, China. Postal Code: 138712. Phone Number：44148355. E-mail：gnkcd@rzamuqej.lakes.cn

823。姓名: 唐勇辙

住址（医院）：中国上海市长宁区友淹路 947 号计毅医院（邮政编码：244835）。联系电话：47222573。电子邮箱：rzqkj@wgfpkqlj.health.cn

Zhù zhǐ: Táng Yǒng Zhé Zhōng Guó Shànghǎi Shì Zhǎngníng Qū Yǒu Yān Lù 947 Hào Jì Yì Yī Yuàn（Yóuzhèng Biānmǎ：244835). Liánxì Diànhuà：47222573. Diànzǐ Yóuxiāng：rzqkj@wgfpkqlj.health.cn

Yong Zhe Tang, Ji Yi Hospital, 947 You Yan Road, Changning District, Shanghai, China. Postal Code: 244835. Phone Number：47222573. E-mail：rzqkj@wgfpkqlj.health.cn

824。姓名: 郜强甫

住址（博物院）：中国上海市静安区彬德路 911 号上海博物馆（邮政编码：446861）。联系电话：55743191。电子邮箱：lbvzs@wplsagcz.museums.cn

Zhù zhǐ: Gào Qiáng Fǔ Zhōng Guó Shànghǎi Shì Jìngān Qū Bīn Dé Lù 911 Hào àngǎi Bó Wù Guǎn（Yóuzhèng Biānmǎ：446861). Liánxì Diànhuà：55743191. Diànzǐ Yóuxiāng：lbvzs@wplsagcz.museums.cn

Qiang Fu Gao, Shanghai Museum, 911 Bin De Road, Jingan District, Shanghai, China. Postal Code: 446861. Phone Number：55743191. E-mail：lbvzs@wplsagcz.museums.cn

825。姓名: 饶轶院

住址（公共汽车站）：中国上海市崇明区员坚路 632 号先洵站（邮政编码：257437）。联系电话：30194529。电子邮箱：ohugi@efkiouyh.transport.cn

Zhù zhǐ: Ráo Yì Yuàn Zhōng Guó Shànghǎi Shì Chóngmíng Qū Yún Jiān Lù 632 Hào Xiān Xún Zhàn（Yóuzhèng Biānmǎ：257437）. Liánxì Diànhuà：30194529. Diànzǐ Yóuxiāng：ohugi@efkiouyh.transport.cn

Yi Yuan Rao, Xian Xun Bus Station, 632 Yun Jian Road, Chongming District, Shanghai, China. Postal Code: 257437. Phone Number：30194529. E-mail：ohugi@efkiouyh.transport.cn

826。姓名: 微居迅

住址（广场）：中国上海市松江区锤坤路 905 号食钢广场（邮政编码：486087）。联系电话：27235111。电子邮箱：ktqpl@qipfoljc.squares.cn

Zhù zhǐ: Wēi Jū Xùn Zhōng Guó Shànghǎi Shì Sōngjiāng Qū Chuí Kūn Lù 905 Hào Shí Gāng Guǎng Chǎng（Yóuzhèng Biānmǎ：486087）. Liánxì Diànhuà：27235111. Diànzǐ Yóuxiāng：ktqpl@qipfoljc.squares.cn

Ju Xun Wei, Shi Gang Square, 905 Chui Kun Road, Songjiang District, Shanghai, China. Postal Code: 486087. Phone Number：27235111. E-mail：ktqpl@qipfoljc.squares.cn

827。姓名: 干澜中

住址（医院）：中国上海市虹口区居进路 541 号豹绅医院（邮政编码：512554）。联系电话：92052336。电子邮箱：yhbic@yqojsetm.health.cn

Zhù zhǐ: Gān Lán Zhōng Zhōng Guó Shànghǎi Shì Hóngkǒu Qū Jū Jìn Lù 541 Hào Bào Shēn Yī Yuàn (Yóuzhèng Biānmǎ：512554). Liánxì Diànhuà：92052336. Diànzǐ Yóuxiāng：yhbic@yqojsetm.health.cn

Lan Zhong Gan, Bao Shen Hospital, 541 Ju Jin Road, Hongkou District, Shanghai, China. Postal Code: 512554. Phone Number：92052336. E-mail：yhbic@yqojsetm.health.cn

828。姓名: 温铭石

住址（酒店）：中国上海市奉贤区星进路 920 号发翰酒店（邮政编码：403934）。联系电话：19618516。电子邮箱：bzphd@yowstfrl.biz.cn

Zhù zhǐ: Wēn Míng Dàn Zhōng Guó Shànghǎi Shì Fèngxián Qū Xīng Jìn Lù 920 Hào Fā Hàn Jiǔ Diàn (Yóuzhèng Biānmǎ：403934). Liánxì Diànhuà：19618516. Diànzǐ Yóuxiāng：bzphd@yowstfrl.biz.cn

Ming Dan Wen, Fa Han Hotel, 920 Xing Jin Road, Fengxian District, Shanghai, China. Postal Code: 403934. Phone Number：19618516. E-mail：bzphd@yowstfrl.biz.cn

829。姓名: 桂坤不

住址（机场）：中国上海市普陀区辙可路 734 号上海不兆国际机场（邮政编码：369184）。联系电话：50559613。电子邮箱：gjvhe@eqbcuknv.airports.cn

Zhù zhǐ: Guì Kūn Bù Zhōng Guó Shànghǎi Shì Pǔtuó Qū Zhé Kě Lù 734 Hào àngǎi Bù Zhào Guó Jì Jī Chǎng (Yóuzhèng Biānmǎ：369184). Liánxì Diànhuà：50559613. Diànzǐ Yóuxiāng：gjvhe@eqbcuknv.airports.cn

Kun Bu Gui, Shanghai Bu Zhao International Airport, 734 Zhe Ke Road, Putuo District, Shanghai, China. Postal Code: 369184. Phone Number：50559613. E-mail：gjvhe@eqbcuknv.airports.cn

830。姓名: 干茂水

住址（家庭）：中国上海市青浦区民奎路 675 号民斌公寓 32 层 568 室（邮政编码：330392）。联系电话：46800590。电子邮箱：btlsk@oprxlige.cn

Zhù zhǐ: Gān Mào Shuǐ Zhōng Guó Shànghǎi Shì Qīngpǔ Qū Mín Kuí Lù 675 Hào Mín Bīn Gōng Yù 32 Céng 568 Shì (Yóuzhèng Biānmǎ： 330392). Liánxì Diànhuà：46800590. Diànzǐ Yóuxiāng： btlsk@oprxlige.cn

Mao Shui Gan, Room# 568, Floor# 32, Min Bin Apartment, 675 Min Kui Road, Qingpu District, Shanghai, China. Postal Code: 330392. Phone Number：46800590. E-mail：btlsk@oprxlige.cn

831。姓名: 计院化

住址（广场）：中国上海市浦东新区焯院路 807 号来焯广场（邮政编码：975081）。联系电话：20317445。电子邮箱：pvrho@jyextadp.squares.cn

Zhù zhǐ: Jì Yuàn Huā Zhōng Guó Shànghǎi Shì Pǔdōng Xīnqū Zhuō Yuàn Lù 807 Hào Lái Chāo Guǎng Chǎng (Yóuzhèng Biānmǎ： 975081). Liánxì Diànhuà： 20317445. Diànzǐ Yóuxiāng： pvrho@jyextadp.squares.cn

Yuan Hua Ji, Lai Chao Square, 807 Zhuo Yuan Road, Pudong New Area, Shanghai, China. Postal Code: 975081. Phone Number： 20317445. E-mail：pvrho@jyextadp.squares.cn

832。姓名: 曲嘉顺

住址（大学）：中国上海市黄浦区陆敬大学水翼路 185 号（邮政编码：954139）。联系电话：72703469。电子邮箱：glstv@ezfdlvnx.edu.cn

Zhù zhǐ: Qū Jiā Shùn Zhōng Guó Shànghǎi Shì Huángpǔ Qū Liù Jìng DàxuéShuǐ Yì Lù 185 Hào (Yóuzhèng Biānmǎ： 954139). Liánxì Diànhuà： 72703469. Diànzǐ Yóuxiāng： glstv@ezfdlvnx.edu.cn

Jia Shun Qu, Liu Jing University, 185 Shui Yi Road, Huangpu District, Shanghai, China. Postal Code: 954139. Phone Number： 72703469. E-mail：glstv@ezfdlvnx.edu.cn

833。姓名: 薄寰可

住址（公园）：中国上海市静安区骥翼路 596 号盛宽公园（邮政编码：945151）。联系电话：26129793。电子邮箱：lmnsq@beyrlwmu.parks.cn

Zhù zhǐ: Bó Huán Kě Zhōng Guó Shànghǎi Shì Jìngān Qū Jì Yì Lù 596 Hào Chéng Kuān Gōng Yuán（Yóuzhèng Biānmǎ：945151). Liánxì Diànhuà：26129793. Diànzǐ Yóuxiāng：lmnsq@beyrlwmu.parks.cn

Huan Ke Bo, Cheng Kuan Park, 596 Ji Yi Road, Jingan District, Shanghai, China. Postal Code: 945151. Phone Number：26129793. E-mail：lmnsq@beyrlwmu.parks.cn

834。姓名: 徐刚九

住址（医院）：中国上海市普陀区星仓路 770 号盛沛医院（邮政编码：604163）。联系电话：84252962。电子邮箱：ausfl@ycmndxzr.health.cn

Zhù zhǐ: Xú Gāng Jiǔ Zhōng Guó Shànghǎi Shì Pǔtuó Qū Xīng Cāng Lù 770 Hào Chéng Pèi Yī Yuàn（Yóuzhèng Biānmǎ：604163). Liánxì Diànhuà：84252962. Diànzǐ Yóuxiāng：ausfl@ycmndxzr.health.cn

Gang Jiu Xu, Cheng Pei Hospital, 770 Xing Cang Road, Putuo District, Shanghai, China. Postal Code: 604163. Phone Number：84252962. E-mail：ausfl@ycmndxzr.health.cn

835。姓名: 熊居可

住址（火车站）：中国上海市黄浦区歧柱路 831 号上海站（邮政编码：250579）。联系电话：20596853。电子邮箱：mwtnb@metfdxcg.chr.cn

Zhù zhǐ: Xióng Jū Kě Zhōng Guó Shànghǎi Shì Huángpǔ Qū Qí Zhù Lù 831 Hào àngǎi Zhàn（Yóuzhèng Biānmǎ：250579). Liánxì Diànhuà：20596853. Diànzǐ Yóuxiāng：mwtnb@metfdxcg.chr.cn

Ju Ke Xiong, Shanghai Railway Station, 831 Qi Zhu Road, Huangpu District, Shanghai, China. Postal Code: 250579. Phone Number：20596853. E-mail：mwtnb@metfdxcg.chr.cn

836。姓名: 笪友泽

住址（家庭）：中国上海市宝山区光中路 877 号波黎公寓 5 层 406 室（邮政编码：540024）。联系电话：96497846。电子邮箱：vzanc@zaufsxgm.cn

Zhù zhǐ: Dá Yǒu Zé Zhōng Guó Shànghǎi Shì Bǎoshān Qū Guāng Zhòng Lù 877 Hào Bō Lí Gōng Yù 5 Céng 406 Shì (Yóuzhèng Biānmǎ：540024). Liánxì Diànhuà：96497846. Diànzǐ Yóuxiāng：vzanc@zaufsxgm.cn

You Ze Da, Room# 406, Floor# 5, Bo Li Apartment, 877 Guang Zhong Road, Baoshan District, Shanghai, China. Postal Code: 540024. Phone Number：96497846. E-mail：vzanc@zaufsxgm.cn

837。姓名: 武院阳

住址（大学）：中国上海市徐汇区奎沛大学自恩路 289 号（邮政编码：791713）。联系电话：84592088。电子邮箱：yigme@ygmhxcde.edu.cn

Zhù zhǐ: Wǔ Yuàn Yáng Zhōng Guó Shànghǎi Shì Xúhuì Qū Kuí Bèi DàxuéZì Ēn Lù 289 Hào (Yóuzhèng Biānmǎ：791713). Liánxì Diànhuà：84592088. Diànzǐ Yóuxiāng：yigme@ygmhxcde.edu.cn

Yuan Yang Wu, Kui Bei University, 289 Zi En Road, Xuhui District, Shanghai, China. Postal Code: 791713. Phone Number：84592088. E-mail：yigme@ygmhxcde.edu.cn

838。姓名: 武仓领

住址（机场）：中国上海市宝山区冠禹路 236 号上海坤歧国际机场（邮政编码：651969）。联系电话：93988048。电子邮箱：bdyrh@qusxlain.airports.cn

Zhù zhǐ: Wǔ Cāng Lǐng Zhōng Guó Shànghǎi Shì Bǎoshān Qū Guān Yǔ Lù 236 Hào àngǎi Kūn Qí Guó Jì Jī Chǎng （Yóuzhèng Biānmǎ： 651969）. Liánxì Diànhuà： 93988048. Diànzǐ Yóuxiāng： bdyrh@qusxlain.airports.cn

Cang Ling Wu, Shanghai Kun Qi International Airport, 236 Guan Yu Road, Baoshan District, Shanghai, China. Postal Code: 651969. Phone Number： 93988048. E-mail： bdyrh@qusxlain.airports.cn

839。姓名: 拓跋山淹

住址（医院）：中国上海市徐汇区轶亚路 190 号沛淹医院（邮政编码： 151912）。联系电话：34982427。电子邮箱： nmqcg@frqmnjzg.health.cn

Zhù zhǐ: Tuòbá Shān Yān Zhōng Guó Shànghǎi Shì Xúhuì Qū Yì Yà Lù 190 Hào Bèi Yān Yī Yuàn （Yóuzhèng Biānmǎ： 151912）. Liánxì Diànhuà： 34982427. Diànzǐ Yóuxiāng： nmqcg@frqmnjzg.health.cn

Shan Yan Tuoba, Bei Yan Hospital, 190 Yi Ya Road, Xuhui District, Shanghai, China. Postal Code: 151912. Phone Number： 34982427. E-mail： nmqcg@frqmnjzg.health.cn

840。姓名: 虞仲臻

住址（家庭）：中国上海市普陀区焯翰路 161 号自兵公寓 48 层 590 室（邮政编码：279266）。联系电话：90993504。电子邮箱： exvqr@lebayxhc.cn

Zhù zhǐ: Yú Zhòng Zhēn Zhōng Guó Shànghǎi Shì Pǔtuó Qū Zhuō Hàn Lù 161 Hào Zì Bīng Gōng Yù 48 Céng 590 Shì (Yóuzhèng Biānmǎ： 279266). Liánxì Diànhuà： 90993504. Diànzǐ Yóuxiāng： exvqr@lebayxhc.cn

Zhong Zhen Yu, Room# 590, Floor# 48, Zi Bing Apartment, 161 Zhuo Han Road, Putuo District, Shanghai, China. Postal Code: 279266. Phone Number： 90993504. E-mail： exvqr@lebayxhc.cn

CHAPTER 4: NAME, SURNAME & ADDRESSES (91-120)

841。姓名: 牧涛鹤

住址（公共汽车站）：中国上海市浦东新区王振路 927 号谢福站（邮政编码：809153）。联系电话：77677867。电子邮箱：stfdy@eojlyuzw.transport.cn

Zhù zhǐ: Mù Tāo Hè Zhōng Guó Shànghǎi Shì Pǔdōng Xīnqū Wáng Zhèn Lù 927 Hào Xiè Fú Zhàn (Yóuzhèng Biānmǎ：809153). Liánxì Diànhuà：77677867. Diànzǐ Yóuxiāng：stfdy@eojlyuzw.transport.cn

Tao He Mu, Xie Fu Bus Station, 927 Wang Zhen Road, Pudong New Area, Shanghai, China. Postal Code: 809153. Phone Number：77677867. E-mail：stfdy@eojlyuzw.transport.cn

842。姓名: 桂世全

住址（火车站）：中国上海市闵行区焯成路 184 号上海站（邮政编码：979945）。联系电话：45858709。电子邮箱：qbzdm@vxnbzeak.chr.cn

Zhù zhǐ: Guì Shì Quán Zhōng Guó Shànghǎi Shì Mǐnxíng Qū Chāo Chéng Lù 184 Hào àngǎi Zhàn (Yóuzhèng Biānmǎ：979945). Liánxì Diànhuà：45858709. Diànzǐ Yóuxiāng：qbzdm@vxnbzeak.chr.cn

Shi Quan Gui, Shanghai Railway Station, 184 Chao Cheng Road, Minhang District, Shanghai, China. Postal Code: 979945. Phone Number：45858709. E-mail：qbzdm@vxnbzeak.chr.cn

843。姓名: 广石洵

住址（酒店）：中国上海市长宁区征涛路 884 号福强酒店（邮政编码：851568）。联系电话：31332605。电子邮箱：gzhdj@zgxwvrlt.biz.cn

Zhù zhǐ: Guǎng Dàn Xún Zhōng Guó Shànghǎi Shì Zhǎngníng Qū Zhēng Tāo Lù 884 Hào Fú Qiǎng Jiǔ Diàn (Yóuzhèng Biānmǎ：851568). Liánxì Diànhuà：31332605. Diànzǐ Yóuxiāng：gzhdj@zgxwvrlt.biz.cn

Dan Xun Guang, Fu Qiang Hotel, 884 Zheng Tao Road, Changning District, Shanghai, China. Postal Code: 851568. Phone Number：31332605. E-mail：gzhdj@zgxwvrlt.biz.cn

844。姓名: 韦可领

住址（寺庙）：中国上海市青浦区星铁路 122 号茂先寺（邮政编码：849496）。联系电话：23768452。电子邮箱：sxhfd@awcgiszl.god.cn

Zhù zhǐ: Wéi Kě Lǐng Zhōng Guó Shànghǎi Shì Qīngpǔ Qū Xīng Tiě Lù 122 Hào Mào Xiān Sì (Yóuzhèng Biānmǎ：849496). Liánxì Diànhuà：23768452. Diànzǐ Yóuxiāng：sxhfd@awcgiszl.god.cn

Ke Ling Wei, Mao Xian Temple, 122 Xing Tie Road, Qingpu District, Shanghai, China. Postal Code: 849496. Phone Number：23768452. E-mail：sxhfd@awcgiszl.god.cn

845。姓名: 福翰胜

住址（火车站）：中国上海市青浦区游钦路 993 号上海站（邮政编码：369604）。联系电话：61216451。电子邮箱：sfjdx@iwmyctbo.chr.cn

Zhù zhǐ: Fú Hàn Shēng Zhōng Guó Shànghǎi Shì Qīngpǔ Qū Yóu Qīn Lù 993 Hào àngǎi Zhàn (Yóuzhèng Biānmǎ：369604). Liánxì Diànhuà：61216451. Diànzǐ Yóuxiāng：sfjdx@iwmyctbo.chr.cn

Han Sheng Fu, Shanghai Railway Station, 993 You Qin Road, Qingpu District, Shanghai, China. Postal Code: 369604. Phone Number：61216451. E-mail：sfjdx@iwmyctbo.chr.cn

846。姓名: 花龙柱

住址（公司）：中国上海市浦东新区不铁路 912 号晖陆有限公司（邮政编码：671261）。联系电话：18887274。电子邮箱：wbsoi@hnqwbjda.biz.cn

Zhù zhǐ: Huā Lóng Zhù Zhōng Guó Shànghǎi Shì Pǔdōng Xīnqū Bù Fū Lù 912 Hào Huī Lù Yǒuxiàn Gōngsī (Yóuzhèng Biānmǎ: 671261). Liánxì Diànhuà: 18887274. Diànzǐ Yóuxiāng: wbsoi@hnqwbjda.biz.cn

Long Zhu Hua, Hui Lu Corporation, 912 Bu Fu Road, Pudong New Area, Shanghai, China. Postal Code: 671261. Phone Number: 18887274. E-mail: wbsoi@hnqwbjda.biz.cn

847。姓名: 汝游启

住址（广场）：中国上海市松江区甫南路 987 号陆学广场（邮政编码：738193）。联系电话：76547957。电子邮箱：katby@iuecswvr.squares.cn

Zhù zhǐ: Rǔ Yóu Qǐ Zhōng Guó Shànghǎi Shì Sōngjiāng Qū Fǔ Nán Lù 987 Hào Liù Xué Guǎng Chǎng (Yóuzhèng Biānmǎ: 738193). Liánxì Diànhuà: 76547957. Diànzǐ Yóuxiāng: katby@iuecswvr.squares.cn

You Qi Ru, Liu Xue Square, 987 Fu Nan Road, Songjiang District, Shanghai, China. Postal Code: 738193. Phone Number: 76547957. E-mail: katby@iuecswvr.squares.cn

848。姓名: 呼延先维

住址（公共汽车站）：中国上海市普陀区嘉超路 890 号际大站（邮政编码：497531）。联系电话：45460700。电子邮箱：ufozt@cewzlyqr.transport.cn

Zhù zhǐ: Hūyán Xiān Wéi Zhōng Guó Shànghǎi Shì Pǔtuó Qū Jiā Chāo Lù 890 Hào Jì Dài Zhàn (Yóuzhèng Biānmǎ: 497531). Liánxì Diànhuà: 45460700. Diànzǐ Yóuxiāng: ufozt@cewzlyqr.transport.cn

Xian Wei Huyan, Ji Dai Bus Station, 890 Jia Chao Road, Putuo District, Shanghai, China. Postal Code: 497531. Phone Number: 45460700. E-mail: ufozt@cewzlyqr.transport.cn

849。姓名: 郏员振

住址（公园）：中国上海市奉贤区骥超路 859 号近宽公园（邮政编码：258847）。联系电话：61851898。电子邮箱：zapit@knecxazl.parks.cn

Zhù zhǐ: Jiá Yuán Zhèn Zhōng Guó Shànghǎi Shì Fèngxián Qū Jì Chāo Lù 859 Hào Jìn Kuān Gōng Yuán（Yóuzhèng Biānmǎ：258847). Liánxì Diànhuà：61851898. Diànzǐ Yóuxiāng：zapit@knecxazl.parks.cn

Yuan Zhen Jia, Jin Kuan Park, 859 Ji Chao Road, Fengxian District, Shanghai, China. Postal Code: 258847. Phone Number：61851898. E-mail：zapit@knecxazl.parks.cn

850。姓名: 霍伦渊

住址（公司）：中国上海市普陀区坡胜路 466 号珏冠有限公司（邮政编码：974086）。联系电话：28757167。电子邮箱：pwuqh@rfxkohcw.biz.cn

Zhù zhǐ: Huò Lún Yuān Zhōng Guó Shànghǎi Shì Pǔtuó Qū Pō Shēng Lù 466 Hào Jué Guān Yǒuxiàn Gōngsī（Yóuzhèng Biānmǎ：974086). Liánxì Diànhuà：28757167. Diànzǐ Yóuxiāng：pwuqh@rfxkohcw.biz.cn

Lun Yuan Huo, Jue Guan Corporation, 466 Po Sheng Road, Putuo District, Shanghai, China. Postal Code: 974086. Phone Number：28757167. E-mail：pwuqh@rfxkohcw.biz.cn

851。姓名: 凤光轼

住址（火车站）：中国上海市黄浦区白译路 707 号上海站（邮政编码：138970）。联系电话：94777345。电子邮箱：oqmnx@cjdxqyli.chr.cn

Zhù zhǐ: Fèng Guāng Shì Zhōng Guó Shànghǎi Shì Huángpǔ Qū Bái Yì Lù 707 Hào àngǎi Zhàn（Yóuzhèng Biānmǎ：138970). Liánxì Diànhuà：94777345. Diànzǐ Yóuxiāng：oqmnx@cjdxqyli.chr.cn

Guang Shi Feng, Shanghai Railway Station, 707 Bai Yi Road, Huangpu District, Shanghai, China. Postal Code: 138970. Phone Number：94777345. E-mail：oqmnx@cjdxqyli.chr.cn

852。姓名: 狄晖德

住址（公共汽车站）：中国上海市青浦区金亚路 885 号居化站（邮政编码：182735）。联系电话：58074381。电子邮箱：pudhw@tynedsao.transport.cn

Zhù zhǐ: Dí Huī Dé Zhōng Guó Shànghǎi Shì Qīngpǔ Qū Jīn Yà Lù 885 Hào Jū Huā Zhàn（Yóuzhèng Biānmǎ：182735). Liánxì Diànhuà：58074381. Diànzǐ Yóuxiāng：pudhw@tynedsao.transport.cn

Hui De Di, Ju Hua Bus Station, 885 Jin Ya Road, Qingpu District, Shanghai, China. Postal Code: 182735. Phone Number：58074381. E-mail：pudhw@tynedsao.transport.cn

853。姓名: 况星奎

住址（机场）：中国上海市杨浦区队咚路 528 号上海坡坤国际机场（邮政编码：694879）。联系电话：95834795。电子邮箱：ndmfp@wstxeudn.airports.cn

Zhù zhǐ: Kuàng Xīng Kuí Zhōng Guó Shànghǎi Shì Yángpǔ Qū Duì Dōng Lù 528 Hào àngǎi Pō Kūn Guó Jì Jī Chǎng（Yóuzhèng Biānmǎ：694879). Liánxì Diànhuà：95834795. Diànzǐ Yóuxiāng：ndmfp@wstxeudn.airports.cn

Xing Kui Kuang, Shanghai Po Kun International Airport, 528 Dui Dong Road, Yangpu District, Shanghai, China. Postal Code: 694879. Phone Number：95834795. E-mail：ndmfp@wstxeudn.airports.cn

854。姓名: 全全学

住址（湖泊）：中国上海市静安区陆涛路 835 号白来湖（邮政编码：625571）。联系电话：51138468。电子邮箱：yigxz@dyvnpmjq.lakes.cn

Zhù zhǐ: Quán Quán Xué Zhōng Guó Shànghǎi Shì Jìngān Qū Lù Tāo Lù 835 Hào Bái Lái Hú（Yóuzhèng Biānmǎ：625571). Liánxì Diànhuà：51138468. Diànzǐ Yóuxiāng：yigxz@dyvnpmjq.lakes.cn

Quan Xue Quan, Bai Lai Lake, 835 Lu Tao Road, Jingan District, Shanghai, China. Postal Code: 625571. Phone Number：51138468. E-mail：yigxz@dyvnpmjq.lakes.cn

855。姓名: 权谢彬

住址（博物院）：中国上海市崇明区民钦路 998 号上海博物馆（邮政编码：504439）。联系电话：60565606。电子邮箱：qgflt@enysfubc.museums.cn

Zhù zhǐ: Quán Xiè Bīn Zhōng Guó Shànghǎi Shì Chóngmíng Qū Mín Qīn Lù 998 Hào àngǎi Bó Wù Guǎn（Yóuzhèng Biānmǎ：504439). Liánxì Diànhuà：60565606. Diànzǐ Yóuxiāng：qgflt@enysfubc.museums.cn

Xie Bin Quan, Shanghai Museum, 998 Min Qin Road, Chongming District, Shanghai, China. Postal Code: 504439. Phone Number：60565606. E-mail：qgflt@enysfubc.museums.cn

856。姓名: 宇文亮岐

住址（博物院）：中国上海市宝山区俊禹路 795 号上海博物馆（邮政编码：504414）。联系电话：45519949。电子邮箱：etrsi@ezmfuokr.museums.cn

Zhù zhǐ: Yǔwén Liàng Qí Zhōng Guó Shànghǎi Shì Bǎoshān Qū Jùn Yǔ Lù 795 Hào àngǎi Bó Wù Guǎn（Yóuzhèng Biānmǎ：504414). Liánxì Diànhuà：45519949. Diànzǐ Yóuxiāng：etrsi@ezmfuokr.museums.cn

Liang Qi Yuwen, Shanghai Museum, 795 Jun Yu Road, Baoshan District, Shanghai, China. Postal Code: 504414. Phone Number：45519949. E-mail：etrsi@ezmfuokr.museums.cn

857。姓名: 阚桥坤

住址（大学）：中国上海市杨浦区陆水大学智毅路 556 号（邮政编码：440537）。联系电话：15866542。电子邮箱：uwvxm@xpmkifte.edu.cn

Zhù zhǐ: Kàn Qiáo Kūn Zhōng Guó Shànghǎi Shì Yángpǔ Qū Lù Shuǐ DàxuéZhì Yì Lù 556 Hào (Yóuzhèng Biānmǎ：440537). Liánxì Diànhuà：15866542. Diànzǐ Yóuxiāng：uwvxm@xpmkifte.edu.cn

Qiao Kun Kan, Lu Shui University, 556 Zhi Yi Road, Yangpu District, Shanghai, China. Postal Code: 440537. Phone Number：15866542. E-mail：uwvxm@xpmkifte.edu.cn

858。姓名: 贡奎帆

住址（湖泊）：中国上海市虹口区食舟路 702 号柱征湖（邮政编码：443938）。联系电话：17780598。电子邮箱：kusct@iupyxvoh.lakes.cn

Zhù zhǐ: Gòng Kuí Fān Zhōng Guó Shànghǎi Shì Hóngkǒu Qū Shí Zhōu Lù 702 Hào Zhù Zhēng Hú (Yóuzhèng Biānmǎ：443938). Liánxì Diànhuà：17780598. Diànzǐ Yóuxiāng：kusct@iupyxvoh.lakes.cn

Kui Fan Gong, Zhu Zheng Lake, 702 Shi Zhou Road, Hongkou District, Shanghai, China. Postal Code: 443938. Phone Number：17780598. E-mail：kusct@iupyxvoh.lakes.cn

859。姓名: 宫山石

住址（酒店）：中国上海市金山区超刚路 291 号先强酒店（邮政编码：542440）。联系电话：72494176。电子邮箱：ybgxa@nocuzpvb.biz.cn

Zhù zhǐ: Gōng Shān Shí Zhōng Guó Shànghǎi Shì Jīnshān Qū Chāo Gāng Lù 291 Hào Xiān Qiǎng Jiǔ Diàn (Yóuzhèng Biānmǎ：542440). Liánxì Diànhuà：72494176. Diànzǐ Yóuxiāng：ybgxa@nocuzpvb.biz.cn

Shan Shi Gong, Xian Qiang Hotel, 291 Chao Gang Road, Jinshan District, Shanghai, China. Postal Code: 542440. Phone Number：72494176. E-mail：ybgxa@nocuzpvb.biz.cn

860。姓名: 解启队

住址（湖泊）：中国上海市长宁区珂敬路 787 号葛彬湖（邮政编码：961419）。联系电话：54485865。电子邮箱：wcuqx@yxktosdq.lakes.cn

Zhù zhǐ: Xiè Qǐ Duì Zhōng Guó Shànghǎi Shì Zhǎngníng Qū Kē Jìng Lù 787 Hào Gé Bīn Hú (Yóuzhèng Biānmǎ：961419). Liánxì Diànhuà：54485865. Diànzǐ Yóuxiāng：wcuqx@yxktosdq.lakes.cn

Qi Dui Xie, Ge Bin Lake, 787 Ke Jing Road, Changning District, Shanghai, China. Postal Code: 961419. Phone Number：54485865. E-mail：wcuqx@yxktosdq.lakes.cn

861。姓名: 郜原腾

住址（医院）：中国上海市奉贤区陆禹路 343 号风中医院（邮政编码：173420）。联系电话：41871639。电子邮箱：sdzhb@jckfnrza.health.cn

Zhù zhǐ: Gào Yuán Téng Zhōng Guó Shànghǎi Shì Fèngxián Qū Liù Yǔ Lù 343 Hào Fēng Zhòng Yī Yuàn (Yóuzhèng Biānmǎ：173420). Liánxì Diànhuà：41871639. Diànzǐ Yóuxiāng：sdzhb@jckfnrza.health.cn

Yuan Teng Gao, Feng Zhong Hospital, 343 Liu Yu Road, Fengxian District, Shanghai, China. Postal Code: 173420. Phone Number：41871639. E-mail：sdzhb@jckfnrza.health.cn

862。姓名: 游钦大

住址（广场）：中国上海市杨浦区桥世路 283 号智源广场（邮政编码：863653）。联系电话：37418641。电子邮箱：jkpch@ckbqlzdp.squares.cn

Zhù zhǐ: Yóu Qīn Dà Zhōng Guó Shànghǎi Shì Yángpǔ Qū Qiáo Shì Lù 283 Hào Zhì Yuán Guǎng Chǎng (Yóuzhèng Biānmǎ：863653). Liánxì Diànhuà：37418641. Diànzǐ Yóuxiāng：jkpch@ckbqlzdp.squares.cn

Qin Da You, Zhi Yuan Square, 283 Qiao Shi Road, Yangpu District, Shanghai, China. Postal Code: 863653. Phone Number：37418641. E-mail：jkpch@ckbqlzdp.squares.cn

863。姓名: 顾际院

住址（公共汽车站）：中国上海市崇明区葛超路 791 号帆黎站（邮政编码：801991）。联系电话：15635710。电子邮箱：onrus@sljvxwno.transport.cn

Zhù zhǐ: Gù Jì Yuàn Zhōng Guó Shànghǎi Shì Chóngmíng Qū Gé Chāo Lù 791 Hào Fān Lí Zhàn (Yóuzhèng Biānmǎ：801991). Liánxì Diànhuà：15635710. Diànzǐ Yóuxiāng：onrus@sljvxwno.transport.cn

Ji Yuan Gu, Fan Li Bus Station, 791 Ge Chao Road, Chongming District, Shanghai, China. Postal Code: 801991. Phone Number：15635710. E-mail：onrus@sljvxwno.transport.cn

864。姓名: 暴陶兆

住址（大学）：中国上海市杨浦区甫澜大学食仓路 813 号（邮政编码：257616）。联系电话：42836306。电子邮箱：knqot@znlgudpw.edu.cn

Zhù zhǐ: Bào Táo Zhào Zhōng Guó Shànghǎi Shì Yángpǔ Qū Fǔ Lán DàxuéShí Cāng Lù 813 Hào (Yóuzhèng Biānmǎ：257616). Liánxì Diànhuà：42836306. Diànzǐ Yóuxiāng：knqot@znlgudpw.edu.cn

Tao Zhao Bao, Fu Lan University, 813 Shi Cang Road, Yangpu District, Shanghai, China. Postal Code: 257616. Phone Number：42836306. E-mail：knqot@znlgudpw.edu.cn

865。姓名: 毛南宽

住址（寺庙）：中国上海市长宁区炯毅路 430 号庆金寺（邮政编码：132448）。联系电话：49771472。电子邮箱：zbspr@qxcjiftm.god.cn

Zhù zhǐ: Máo Nán Kuān Zhōng Guó Shànghǎi Shì Zhǎngníng Qū Jiǒng Yì Lù 430 Hào Qìng Jīn Sì (Yóuzhèng Biānmǎ：132448). Liánxì Diànhuà：49771472. Diànzǐ Yóuxiāng：zbspr@qxcjiftm.god.cn

Nan Kuan Mao, Qing Jin Temple, 430 Jiong Yi Road, Changning District, Shanghai, China. Postal Code: 132448. Phone Number：49771472. E-mail：zbspr@qxcjiftm.god.cn

866。姓名: 尚铭振

住址（湖泊）：中国上海市松江区员红路 662 号科洵湖（邮政编码：782841）。联系电话：19018646。电子邮箱：ezkcb@ytcovrmu.lakes.cn

Zhù zhǐ: Shàng Míng Zhèn Zhōng Guó Shànghǎi Shì Sōngjiāng Qū Yuán Hóng Lù 662 Hào Kē Xún Hú（Yóuzhèng Biānmǎ：782841). Liánxì Diànhuà：19018646. Diànzǐ Yóuxiāng：ezkcb@ytcovrmu.lakes.cn

Ming Zhen Shang, Ke Xun Lake, 662 Yuan Hong Road, Songjiang District, Shanghai, China. Postal Code: 782841. Phone Number：19018646. E-mail：ezkcb@ytcovrmu.lakes.cn

867。姓名: 程守波

住址（大学）：中国上海市浦东新区大中大学晖钊路 229 号（邮政编码：826518）。联系电话：34356114。电子邮箱：prjuh@pauzqsml.edu.cn

Zhù zhǐ: Chéng Shǒu Bō Zhōng Guó Shànghǎi Shì Pǔdōng Xīnqū Dài Zhōng DàxuéHuī Zhāo Lù 229 Hào（Yóuzhèng Biānmǎ：826518). Liánxì Diànhuà：34356114. Diànzǐ Yóuxiāng：prjuh@pauzqsml.edu.cn

Shou Bo Cheng, Dai Zhong University, 229 Hui Zhao Road, Pudong New Area, Shanghai, China. Postal Code: 826518. Phone Number：34356114. E-mail：prjuh@pauzqsml.edu.cn

868。姓名: 古克其

住址（广场）：中国上海市宝山区领翰路 832 号陆宽广场（邮政编码：622651）。联系电话：18760683。电子邮箱：pcsbt@aircmzfx.squares.cn

Zhù zhǐ: Gǔ Kè Qí Zhōng Guó Shànghǎi Shì Bǎoshān Qū Lǐng Hàn Lù 832 Hào Lù Kuān Guǎng Chǎng (Yóuzhèng Biānmǎ: 622651). Liánxì Diànhuà: 18760683. Diànzǐ Yóuxiāng: pcsbt@aircmzfx.squares.cn

Ke Qi Gu, Lu Kuan Square, 832 Ling Han Road, Baoshan District, Shanghai, China. Postal Code: 622651. Phone Number: 18760683. E-mail: pcsbt@aircmzfx.squares.cn

869。姓名: 晏源山

住址（酒店）：中国上海市松江区中立路 556 号毅豹酒店（邮政编码：602499）。联系电话：70412840。电子邮箱：zxcjt@dfxhwmlv.biz.cn

Zhù zhǐ: Yàn Yuán Shān Zhōng Guó Shànghǎi Shì Sōngjiāng Qū Zhōng Lì Lù 556 Hào Yì Bào Jiǔ Diàn (Yóuzhèng Biānmǎ: 602499). Liánxì Diànhuà: 70412840. Diànzǐ Yóuxiāng: zxcjt@dfxhwmlv.biz.cn

Yuan Shan Yan, Yi Bao Hotel, 556 Zhong Li Road, Songjiang District, Shanghai, China. Postal Code: 602499. Phone Number: 70412840. E-mail: zxcjt@dfxhwmlv.biz.cn

870。姓名: 盖柱智

住址（湖泊）：中国上海市杨浦区圣恩路 484 号独可湖（邮政编码：945695）。联系电话：65420461。电子邮箱：szvxj@nmdhcyja.lakes.cn

Zhù zhǐ: Gài Zhù Zhì Zhōng Guó Shànghǎi Shì Yángpǔ Qū Shèng Ēn Lù 484 Hào Dú Kě Hú (Yóuzhèng Biānmǎ: 945695). Liánxì Diànhuà: 65420461. Diànzǐ Yóuxiāng: szvxj@nmdhcyja.lakes.cn

Zhu Zhi Gai, Du Ke Lake, 484 Sheng En Road, Yangpu District, Shanghai, China. Postal Code: 945695. Phone Number: 65420461. E-mail: szvxj@nmdhcyja.lakes.cn

CHAPTER 5: NAME, SURNAME & ADDRESSES (121-150)

871。姓名: 易民启

住址（寺庙）：中国上海市青浦区波鸣路 549 号大乙寺（邮政编码：493222）。联系电话：60402964。电子邮箱：jbrqk@azwdpuni.god.cn

Zhù zhǐ: Yì Mín Qǐ Zhōng Guó Shànghǎi Shì Qīngpǔ Qū Bō Míng Lù 549 Hào Dà Yǐ Sì (Yóuzhèng Biānmǎ：493222). Liánxì Diànhuà：60402964. Diànzǐ Yóuxiāng：jbrqk@azwdpuni.god.cn

Min Qi Yi, Da Yi Temple, 549 Bo Ming Road, Qingpu District, Shanghai, China. Postal Code: 493222. Phone Number：60402964. E-mail：jbrqk@azwdpuni.god.cn

872。姓名: 家阳成

住址（家庭）：中国上海市嘉定区大桥路 517 号锤金公寓 26 层 278 室（邮政编码：880147）。联系电话：37791190。电子邮箱：lhqiy@rqyaochi.cn

Zhù zhǐ: Jiā Yáng Chéng Zhōng Guó Shànghǎi Shì Jiādìng Qū Dà Qiáo Lù 517 Hào Chuí Jīn Gōng Yù 26 Céng 278 Shì (Yóuzhèng Biānmǎ：880147). Liánxì Diànhuà：37791190. Diànzǐ Yóuxiāng：lhqiy@rqyaochi.cn

Yang Cheng Jia, Room# 278, Floor# 26, Chui Jin Apartment, 517 Da Qiao Road, Jiading District, Shanghai, China. Postal Code: 880147. Phone Number：37791190. E-mail：lhqiy@rqyaochi.cn

873。姓名: 有兆进

住址（公司）：中国上海市闵行区民进路 754 号不昌有限公司（邮政编码：383357）。联系电话：52519656。电子邮箱：ktjxl@qcspwynf.biz.cn

Zhù zhǐ: Yǒu Zhào Jìn Zhōng Guó Shànghǎi Shì Mǐnxíng Qū Mín Jìn Lù 754 Hào Bù Chāng Yǒuxiàn Gōngsī (Yóuzhèng Biānmǎ：383357). Liánxì Diànhuà：52519656. Diànzǐ Yóuxiāng：ktjxl@qcspwynf.biz.cn

Zhao Jin You, Bu Chang Corporation, 754 Min Jin Road, Minhang District, Shanghai, China. Postal Code: 383357. Phone Number：52519656. E-mail：ktjxl@qcspwynf.biz.cn

874。姓名: 荆食昌

住址（广场）：中国上海市闵行区炯友路 303 号水锡广场（邮政编码：436329）。联系电话：32703572。电子邮箱：heqzv@jneoksfz.squares.cn

Zhù zhǐ: Jīng Yì Chāng Zhōng Guó Shànghǎi Shì Mǐnxíng Qū Jiǒng Yǒu Lù 303 Hào Shuǐ Xī Guǎng Chǎng （Yóuzhèng Biānmǎ：436329). Liánxì Diànhuà：32703572. Diànzǐ Yóuxiāng：heqzv@jneoksfz.squares.cn

Yi Chang Jing, Shui Xi Square, 303 Jiong You Road, Minhang District, Shanghai, China. Postal Code: 436329. Phone Number：32703572. E-mail：heqzv@jneoksfz.squares.cn

875。姓名: 别亚来

住址（公园）：中国上海市虹口区禹白路 519 号屹水公园（邮政编码：589101）。联系电话：31767206。电子邮箱：ejohd@tymvjqnk.parks.cn

Zhù zhǐ: Bié Yà Lái Zhōng Guó Shànghǎi Shì Hóngkǒu Qū Yǔ Bái Lù 519 Hào Yì Shuǐ Gōng Yuán （Yóuzhèng Biānmǎ：589101). Liánxì Diànhuà：31767206. Diànzǐ Yóuxiāng：ejohd@tymvjqnk.parks.cn

Ya Lai Bie, Yi Shui Park, 519 Yu Bai Road, Hongkou District, Shanghai, China. Postal Code: 589101. Phone Number：31767206. E-mail：ejohd@tymvjqnk.parks.cn

876。姓名: 厉星亚

住址（广场）：中国上海市虹口区跃食路 726 号坡威广场（邮政编码：827118）。联系电话：26727755。电子邮箱：swhtz@ewlxjgqc.squares.cn

Zhù zhǐ: Lì Xīng Yà Zhōng Guó Shànghǎi Shì Hóngkǒu Qū Yuè Sì Lù 726 Hào Pō Wēi Guǎng Chǎng （Yóuzhèng Biānmǎ：827118). Liánxì Diànhuà：26727755. Diànzǐ Yóuxiāng：swhtz@ewlxjgqc.squares.cn

Xing Ya Li, Po Wei Square, 726 Yue Si Road, Hongkou District, Shanghai, China. Postal Code: 827118. Phone Number：26727755. E-mail：swhtz@ewlxjgqc.squares.cn

877。姓名: 李维陆

住址（寺庙）：中国上海市黄浦区钊腾路 873 号民自寺（邮政编码：621921）。联系电话：74907047。电子邮箱：ejgyd@fdsvhrjw.god.cn

Zhù zhǐ: Lǐ Wéi Lù Zhōng Guó Shànghǎi Shì Huángpǔ Qū Zhāo Téng Lù 873 Hào Mín Zì Sì （Yóuzhèng Biānmǎ：621921). Liánxì Diànhuà：74907047. Diànzǐ Yóuxiāng：ejgyd@fdsvhrjw.god.cn

Wei Lu Li, Min Zi Temple, 873 Zhao Teng Road, Huangpu District, Shanghai, China. Postal Code: 621921. Phone Number：74907047. E-mail：ejgyd@fdsvhrjw.god.cn

878。姓名: 边淹葆

住址（酒店）：中国上海市青浦区智威路 235 号洵员酒店（邮政编码：724489）。联系电话：87848538。电子邮箱：lwhcf@nbhwzcrp.biz.cn

Zhù zhǐ: Biān Yān Bǎo Zhōng Guó Shànghǎi Shì Qīngpǔ Qū Zhì Wēi Lù 235 Hào Xún Yuán Jiǔ Diàn （Yóuzhèng Biānmǎ：724489). Liánxì Diànhuà：87848538. Diànzǐ Yóuxiāng：lwhcf@nbhwzcrp.biz.cn

Yan Bao Bian, Xun Yuan Hotel, 235 Zhi Wei Road, Qingpu District, Shanghai, China. Postal Code: 724489. Phone Number：87848538. E-mail：lwhcf@nbhwzcrp.biz.cn

879。姓名: 宿铁中

住址（火车站）：中国上海市长宁区彬际路 618 号上海站（邮政编码：295229）。联系电话：31351306。电子邮箱：syumc@aprmdyzb.chr.cn

Zhù zhǐ: Sù Fū Zhòng Zhōng Guó Shànghǎi Shì Zhǎngníng Qū Bīn Jì Lù 618 Hào àngǎi Zhàn (Yóuzhèng Biānmǎ：295229). Liánxì Diànhuà：31351306. Diànzǐ Yóuxiāng：syumc@aprmdyzb.chr.cn

Fu Zhong Su, Shanghai Railway Station, 618 Bin Ji Road, Changning District, Shanghai, China. Postal Code: 295229. Phone Number：31351306. E-mail：syumc@aprmdyzb.chr.cn

880。姓名: 宋冠翰

住址（博物院）：中国上海市松江区化亮路 243 号上海博物馆（邮政编码：654178）。联系电话：80437238。电子邮箱：ezxqo@uiqshlyd.museums.cn

Zhù zhǐ: Sòng Guàn Hàn Zhōng Guó Shànghǎi Shì Sōngjiāng Qū Huà Liàng Lù 243 Hào àngǎi Bó Wù Guǎn (Yóuzhèng Biānmǎ：654178). Liánxì Diànhuà：80437238. Diànzǐ Yóuxiāng：ezxqo@uiqshlyd.museums.cn

Guan Han Song, Shanghai Museum, 243 Hua Liang Road, Songjiang District, Shanghai, China. Postal Code: 654178. Phone Number：80437238. E-mail：ezxqo@uiqshlyd.museums.cn

881。姓名: 尤亚冠

住址（机场）：中国上海市黄浦区山维路 841 号上海汉咚国际机场（邮政编码：740712）。联系电话：94548218。电子邮箱：mjwep@bsdlmxzp.airports.cn

Zhù zhǐ: Yóu Yà Guàn Zhōng Guó Shànghǎi Shì Huángpǔ Qū Shān Wéi Lù 841 Hào àngǎi Hàn Dōng Guó Jì Jī Chǎng (Yóuzhèng Biānmǎ：740712). Liánxì Diànhuà：94548218. Diànzǐ Yóuxiāng：mjwep@bsdlmxzp.airports.cn

Ya Guan You, Shanghai Han Dong International Airport, 841 Shan Wei Road, Huangpu District, Shanghai, China. Postal Code: 740712. Phone Number：94548218. E-mail：mjwep@bsdlmxzp.airports.cn

882。姓名: 廉敬舟

住址（寺庙）：中国上海市浦东新区昌钢路 975 号维亮寺（邮政编码：575910）。联系电话：72028926。电子邮箱：cphol@suqgfbyi.god.cn

Zhù zhǐ: Lián Jìng Zhōu Zhōng Guó Shànghǎi Shì Pǔdōng Xīnqū Chāng Gāng Lù 975 Hào Wéi Liàng Sì (Yóuzhèng Biānmǎ：575910). Liánxì Diànhuà：72028926. Diànzǐ Yóuxiāng：cphol@suqgfbyi.god.cn

Jing Zhou Lian, Wei Liang Temple, 975 Chang Gang Road, Pudong New Area, Shanghai, China. Postal Code: 575910. Phone Number：72028926. E-mail：cphol@suqgfbyi.god.cn

883。姓名: 俞石立

住址（大学）：中国上海市长宁区汉德大学黎全路 846 号（邮政编码：823770）。联系电话：49014695。电子邮箱：eslmu@rwmjclnv.edu.cn

Zhù zhǐ: Yú Dàn Lì Zhōng Guó Shànghǎi Shì Zhǎngníng Qū Hàn Dé Dàxué Lí Quán Lù 846 Hào (Yóuzhèng Biānmǎ：823770). Liánxì Diànhuà：49014695. Diànzǐ Yóuxiāng：eslmu@rwmjclnv.edu.cn

Dan Li Yu, Han De University, 846 Li Quan Road, Changning District, Shanghai, China. Postal Code: 823770. Phone Number：49014695. E-mail：eslmu@rwmjclnv.edu.cn

884。姓名: 翟中盛

住址（博物院）：中国上海市奉贤区谢歧路 737 号上海博物馆（邮政编码：158515）。联系电话：58559542。电子邮箱：pionb@vidqkcxn.museums.cn

Zhù zhǐ: Zhái Zhòng Chéng Zhōng Guó Shànghǎi Shì Fèngxián Qū Xiè Qí Lù 737 Hào àngǎi Bó Wù Guǎn (Yóuzhèng Biānmǎ：158515). Liánxì Diànhuà：58559542. Diànzǐ Yóuxiāng：pionb@vidqkcxn.museums.cn

Zhong Cheng Zhai, Shanghai Museum, 737 Xie Qi Road, Fengxian District, Shanghai, China. Postal Code: 158515. Phone Number：58559542. E-mail：pionb@vidqkcxn.museums.cn

885。姓名: 拓跋磊渊

住址（大学）：中国上海市黄浦区智寰大学俊钢路 280 号（邮政编码：833527）。联系电话：57158834。电子邮箱：infjg@lmjdatrn.edu.cn

Zhù zhǐ: Tuòbá Lěi Yuān Zhōng Guó Shànghǎi Shì Huángpǔ Qū Zhì Huán DàxuéJùn Gāng Lù 280 Hào (Yóuzhèng Biānmǎ：833527). Liánxì Diànhuà：57158834. Diànzǐ Yóuxiāng：infjg@lmjdatrn.edu.cn

Lei Yuan Tuoba, Zhi Huan University, 280 Jun Gang Road, Huangpu District, Shanghai, China. Postal Code: 833527. Phone Number：57158834. E-mail：infjg@lmjdatrn.edu.cn

886。姓名: 鄢绅锤

住址（寺庙）：中国上海市杨浦区不冕路 322 号宽毅寺（邮政编码：465757）。联系电话：31774521。电子邮箱：walzb@twcmgkxu.god.cn

Zhù zhǐ: Yān Shēn Chuí Zhōng Guó Shànghǎi Shì Yángpǔ Qū Bù Miǎn Lù 322 Hào Kuān Yì Sì (Yóuzhèng Biānmǎ：465757). Liánxì Diànhuà：31774521. Diànzǐ Yóuxiāng：walzb@twcmgkxu.god.cn

Shen Chui Yan, Kuan Yi Temple, 322 Bu Mian Road, Yangpu District, Shanghai, China. Postal Code: 465757. Phone Number：31774521. E-mail：walzb@twcmgkxu.god.cn

887。姓名: 彭智铁

住址（公园）：中国上海市虹口区鹤甫路 440 号谢寰公园（邮政编码：419934）。联系电话：63259121。电子邮箱：ephbj@ipgnmseu.parks.cn

Zhù zhǐ: Péng Zhì Fū Zhōng Guó Shànghǎi Shì Hóngkǒu Qū Hè Fǔ Lù 440 Hào Xiè Huán Gōng Yuán （Yóuzhèng Biānmǎ：419934). Liánxì Diànhuà：63259121. Diànzǐ Yóuxiāng：ephbj@ipgnmseu.parks.cn

Zhi Fu Peng, Xie Huan Park, 440 He Fu Road, Hongkou District, Shanghai, China. Postal Code: 419934. Phone Number：63259121. E-mail：ephbj@ipgnmseu.parks.cn

888。姓名: 刘发桥

住址（广场）：中国上海市松江区启石路 554 号愈立广场（邮政编码：652081）。联系电话：29758283。电子邮箱：kyvxc@vzgmdlqy.squares.cn

Zhù zhǐ: Liú Fā Qiáo Zhōng Guó Shànghǎi Shì Sōngjiāng Qū Qǐ Dàn Lù 554 Hào Yù Lì Guǎng Chǎng （Yóuzhèng Biānmǎ：652081). Liánxì Diànhuà：29758283. Diànzǐ Yóuxiāng：kyvxc@vzgmdlqy.squares.cn

Fa Qiao Liu, Yu Li Square, 554 Qi Dan Road, Songjiang District, Shanghai, China. Postal Code: 652081. Phone Number：29758283. E-mail：kyvxc@vzgmdlqy.squares.cn

889。姓名: 曹近尚

住址（公司）：中国上海市金山区勇化路 795 号熔茂有限公司（邮政编码：737196）。联系电话：35374200。电子邮箱：xgoty@jkqliosm.biz.cn

Zhù zhǐ: Cáo Jìn Shàng Zhōng Guó Shànghǎi Shì Jīnshān Qū Yǒng Huā Lù 795 Hào Róng Mào Yǒuxiàn Gōngsī （Yóuzhèng Biānmǎ：737196). Liánxì Diànhuà：35374200. Diànzǐ Yóuxiāng：xgoty@jkqliosm.biz.cn

Jin Shang Cao, Rong Mao Corporation, 795 Yong Hua Road, Jinshan District, Shanghai, China. Postal Code: 737196. Phone Number：35374200. E-mail：xgoty@jkqliosm.biz.cn

890。姓名: 苏铁盛

住址（寺庙）：中国上海市黄浦区辙克路 650 号伦德寺（邮政编码：605102）。联系电话：15978006。电子邮箱：lqwrg@qcirvwma.god.cn

Zhù zhǐ: Sū Fū Shèng Zhōng Guó Shànghǎi Shì Huángpǔ Qū Zhé Kè Lù 650 Hào Lún Dé Sì（Yóuzhèng Biānmǎ：605102). Liánxì Diànhuà：15978006. Diànzǐ Yóuxiāng：lqwrg@qcirvwma.god.cn

Fu Sheng Su, Lun De Temple, 650 Zhe Ke Road, Huangpu District, Shanghai, China. Postal Code: 605102. Phone Number：15978006. E-mail：lqwrg@qcirvwma.god.cn

891。姓名: 酆自金

住址（公园）：中国上海市松江区计中路 688 号熔宝公园（邮政编码：115112）。联系电话：90468969。电子邮箱：msdgn@cegapwmk.parks.cn

Zhù zhǐ: Fēng Zì Jīn Zhōng Guó Shànghǎi Shì Sōngjiāng Qū Jì Zhòng Lù 688 Hào Róng Bǎo Gōng Yuán（Yóuzhèng Biānmǎ：115112). Liánxì Diànhuà：90468969. Diànzǐ Yóuxiāng：msdgn@cegapwmk.parks.cn

Zi Jin Feng, Rong Bao Park, 688 Ji Zhong Road, Songjiang District, Shanghai, China. Postal Code: 115112. Phone Number：90468969. E-mail：msdgn@cegapwmk.parks.cn

892。姓名: 周翰铁

住址（火车站）：中国上海市闵行区圣豹路 959 号上海站（邮政编码：154180）。联系电话：98560864。电子邮箱：gyzxl@fumjxaeq.chr.cn

Zhù zhǐ: Zhōu Hàn Fū Zhōng Guó Shànghǎi Shì Mǐnxíng Qū Shèng Bào Lù 959 Hào àngǎi Zhàn（Yóuzhèng Biānmǎ：154180). Liánxì Diànhuà：98560864. Diànzǐ Yóuxiāng：gyzxl@fumjxaeq.chr.cn

Han Fu Zhou, Shanghai Railway Station, 959 Sheng Bao Road, Minhang District, Shanghai, China. Postal Code: 154180. Phone Number：98560864. E-mail：gyzxl@fumjxaeq.chr.cn

893。姓名: 储食辙

住址（火车站）：中国上海市奉贤区葛尚路 355 号上海站（邮政编码：613406）。联系电话：79148619。电子邮箱：bhycw@zkjfaxmb.chr.cn

Zhù zhǐ: Chǔ Shí Zhé Zhōng Guó Shànghǎi Shì Fèngxián Qū Gé Shàng Lù 355 Hào àngǎi Zhàn（Yóuzhèng Biānmǎ：613406). Liánxì Diànhuà：79148619. Diànzǐ Yóuxiāng：bhycw@zkjfaxmb.chr.cn

Shi Zhe Chu, Shanghai Railway Station, 355 Ge Shang Road, Fengxian District, Shanghai, China. Postal Code: 613406. Phone Number：79148619. E-mail：bhycw@zkjfaxmb.chr.cn

894。姓名: 淳于斌乐

住址（寺庙）：中国上海市普陀区豹自路 725 号征亮寺（邮政编码：590494）。联系电话：52754415。电子邮箱：lxikv@fsqzurbg.god.cn

Zhù zhǐ: Chúnyú Bīn Lè Zhōng Guó Shànghǎi Shì Pǔtuó Qū Bào Zì Lù 725 Hào Zhēng Liàng Sì（Yóuzhèng Biānmǎ：590494). Liánxì Diànhuà：52754415. Diànzǐ Yóuxiāng：lxikv@fsqzurbg.god.cn

Bin Le Chunyu, Zheng Liang Temple, 725 Bao Zi Road, Putuo District, Shanghai, China. Postal Code: 590494. Phone Number：52754415. E-mail：lxikv@fsqzurbg.god.cn

895。姓名: 韦坡甫

住址（火车站）：中国上海市虹口区宝盛路 125 号上海站（邮政编码：855913）。联系电话：72214961。电子邮箱：opbrn@dgnlvysj.chr.cn

Zhù zhǐ: Wéi Pō Fǔ Zhōng Guó Shànghǎi Shì Hóngkǒu Qū Bǎo Chéng Lù 125 Hào àngǎi Zhàn (Yóuzhèng Biānmǎ: 855913). Liánxì Diànhuà: 72214961. Diànzǐ Yóuxiāng: opbrn@dgnlvysj.chr.cn

Po Fu Wei, Shanghai Railway Station, 125 Bao Cheng Road, Hongkou District, Shanghai, China. Postal Code: 855913. Phone Number: 72214961. E-mail: opbrn@dgnlvysj.chr.cn

896。姓名: 康波咚

住址（火车站）：中国上海市黄浦区德屹路 969 号上海站（邮政编码：433276）。联系电话：30687575。电子邮箱：vfjon@zorpucfh.chr.cn

Zhù zhǐ: Kāng Bō Dōng Zhōng Guó Shànghǎi Shì Huángpǔ Qū Dé Yì Lù 969 Hào àngǎi Zhàn (Yóuzhèng Biānmǎ: 433276). Liánxì Diànhuà: 30687575. Diànzǐ Yóuxiāng: vfjon@zorpucfh.chr.cn

Bo Dong Kang, Shanghai Railway Station, 969 De Yi Road, Huangpu District, Shanghai, China. Postal Code: 433276. Phone Number: 30687575. E-mail: vfjon@zorpucfh.chr.cn

897。姓名: 吴金强

住址（机场）：中国上海市嘉定区秀威路 232 号上海大福国际机场（邮政编码：665037）。联系电话：59689765。电子邮箱：kuitx@pzotxnya.airports.cn

Zhù zhǐ: Wú Jīn Qiáng Zhōng Guó Shànghǎi Shì Jiādìng Qū Xiù Wēi Lù 232 Hào àngǎi Dài Fú Guó Jì Jī Chǎng (Yóuzhèng Biānmǎ: 665037). Liánxì Diànhuà: 59689765. Diànzǐ Yóuxiāng: kuitx@pzotxnya.airports.cn

Jin Qiang Wu, Shanghai Dai Fu International Airport, 232 Xiu Wei Road, Jiading District, Shanghai, China. Postal Code: 665037. Phone Number: 59689765. E-mail: kuitx@pzotxnya.airports.cn

898。姓名: 管鸣翼

住址（酒店）：中国上海市虹口区陆守路 340 号铭冠酒店（邮政编码：539011）。联系电话：17176183。电子邮箱：eiyhs@dzfegrbu.biz.cn

Zhù zhǐ: Guǎn Míng Yì Zhōng Guó Shànghǎi Shì Hóngkǒu Qū Liù Shǒu Lù 340 Hào Míng Guān Jiǔ Diàn (Yóuzhèng Biānmǎ：539011). Liánxì Diànhuà：17176183. Diànzǐ Yóuxiāng：eiyhs@dzfegrbu.biz.cn

Ming Yi Guan, Ming Guan Hotel, 340 Liu Shou Road, Hongkou District, Shanghai, China. Postal Code: 539011. Phone Number：17176183. E-mail：eiyhs@dzfegrbu.biz.cn

899。姓名: 岳龙原

住址（公共汽车站）：中国上海市闵行区毅刚路 973 号泽振站（邮政编码：797232）。联系电话：67244353。电子邮箱：knyos@nuhawgbv.transport.cn

Zhù zhǐ: Yuè Lóng Yuán Zhōng Guó Shànghǎi Shì Mǐnxíng Qū Yì Gāng Lù 973 Hào Zé Zhèn Zhàn (Yóuzhèng Biānmǎ：797232). Liánxì Diànhuà：67244353. Diànzǐ Yóuxiāng：knyos@nuhawgbv.transport.cn

Long Yuan Yue, Ze Zhen Bus Station, 973 Yi Gang Road, Minhang District, Shanghai, China. Postal Code: 797232. Phone Number：67244353. E-mail：knyos@nuhawgbv.transport.cn

900。姓名: 何盛学

住址（酒店）：中国上海市黄浦区冠石路 592 号白钦酒店（邮政编码：469503）。联系电话：55015845。电子邮箱：izfyd@orkplxqt.biz.cn

Zhù zhǐ: Hé Chéng Xué Zhōng Guó Shànghǎi Shì Huángpǔ Qū Guān Shí Lù 592 Hào Bái Qīn Jiǔ Diàn (Yóuzhèng Biānmǎ：469503). Liánxì Diànhuà：55015845. Diànzǐ Yóuxiāng：izfyd@orkplxqt.biz.cn

Cheng Xue He, Bai Qin Hotel, 592 Guan Shi Road, Huangpu District, Shanghai, China. Postal Code: 469503. Phone Number：55015845. E-mail：izfyd@orkplxqt.biz.cn

9 798887 558271